질리지 않는
진리 이야기 1

너도 그래?
나도 그래!

질리지 않는 진리 이야기 1

너도 그래? 나도 그래!

글. 성제 정사

해

글을 시작하며

경기가 안 좋은 탓일까요? 여기저기서 '뭘 해도 되는 일이 없다'는 자조 섞인 푸념이 쏟아져 나오고 있습니다. 외모와 능력, 스펙을 따지는 냉엄한 현실 속에서 자격지심에 밤잠을 설치는 이들도 적지 않아요. '하면 된다'는 옛말이고, 이제는 '되면 한다'라나요? 무엇이든 하면 된다고 믿는 것처럼 무모한 일은 없다는 거지요. 생각처럼 안 풀리는 현실에 마음의 여유를 잃어서인지 요즘 지하철 안에서 핸드폰을 만지작거리며 온 신경을 거기에 쏟고 있는 모습은 아이, 어른 할 것 없이 똑같아요. 어쩌면 타인과의 소통을 의식적으로 거부한 채 영혼이 갇힌 갑각류로 퇴화하는 듯한 느낌마저 받곤 합니다.

상황은 이웃 나라 일본도 크게 다르지 않더라고요. 식당 테이블에 등을 보이고 앉아 혼자 입을 오물거리는 비즈니스맨의 쓸쓸한 단상은 마치 불필요한 대화는 하지 않겠다고 선언한 합리적 바보 오타쿠의 전형을 보는 듯합니다. 심지어 동전을 넣고 선택 버튼을 누르면 거스름돈이 곧바로 떨어지는 일본식 자판기는 철저하게 자기 것만 계산하도록 설계된 와리캉 시스템 탓이라나요? 마치 '자리自利'는 있지만 '이타利他'는 없는 축소지향형 삶에 갇힌 듯합니다.

어쩌면 현대를 사는 우리는 마땅한 이야기 상대도 없이 일상의 단조로움에 지쳐 있는지 모릅니다. 모처럼의 기분전환을 위해 쇼핑몰이나 대형매장을 찾았다가도 오히려 북적이는 타인들과 계산된 친절, 터무니없이 비싼 물가에 오히려 기분만 망치고 돌아오게 되는 경우가 종종 있잖아요. 항상 무언가에 쫓기고 있으며, 또 항상 자신의 상황이 만족스럽지 못하다는 생각으로 살고 있지는 않은가요?

이제는 우리의 마음을 돌아볼 때입니다. 전생에 나라를 구하기라도 한 듯 천복을 타고났음에도 불행한 표정을 짓는 이들을 보세요. 가질수록 행복한 것만은 아닙니다. 비울수록 행복해지는 법도 있거든요. 빨간 고추잠자리가 뾰족한 철조망에 앉아 오래도록 머물면서도 고통을 느끼지 않는 것은 어쩌면 스스로가 가볍기 때문이 아닐까요? 원하는 것을 다 가져버리면 더 이상 원하는 것이 없어지잖아요. 하고 싶은 것을 남겨두어야 우리 삶에 의욕과 열정을 불태울 수 있습니다.

이 책은 현실에 대한 고뇌와 불안 속에서 끄달리듯 살아온 많은 이들에게 작은 위안과 삶의 지혜를 안겨줄 것입니다. 공원 잔디밭에 돗자리를 편 채 팔베개를 하고 누워 벌레 구멍이 뚫린 나뭇잎 사이로 봄 햇살이 은은하게 비추던 순간의 그 넉넉하고 포근한 행복감을 잠시나마 느껴보시기 바랍니다.

글 싣는 순서

제2장 이웃과 사회

글 싣는 순서

제3장 인생과 성취

제1장

가정

01 자녀 교육에 있어 가장 중요한 건 뭘까요?

'영재발굴단'이라는 SBS TV 프로그램이 있더라고요. 지난 방송을 보니, 여섯 살 된 딸아이를 둔 한 엄마가 아이 문제로 늘 어머니와 부딪치는 거예요. 엄마는 천재성을 지닌 자녀를 보통 아이로 키우고 싶은 거였고, 외할머니는 아이의 재능이 아까운데 왜 평범하게 키우느냐며 서로의 입장 차이를 좁히지 못하는 것이었습니다.

아이의 영재성 여부를 측정해 보니, 언어나 도형 능력이 다른 아이에 비해 탁월하게 뛰어나다는 결과가 나왔어요. 4살 때 혼자 알파벳을 떼고 영어책을 술술 읽을 뿐 아니라, 처음 듣는 일본어 노래를 반복적으로 틀어줬더니 몇 번 안 듣고도 술술 따라 부르는 거예요. 기억력과 언어 감각이 특출한 영재임이 분명했던 거지요.

그런데 아이를 대하는 엄마의 교육 방식은 남달랐습니다. 한 시간도 넘게 혼자서 책을 읽던 아이에게 역정을 내며 "이제 책은 그만 보고 TV 좀 보라!"며 다그치는 거였어요. 다른 엄마들과 비교하면 완전히 거꾸로 된 모습이었죠. 이유를 들어보니, 어느 정도 이해는 되더라고요.

아이 엄마는 어린 시절, 본인의 부모로부터 공부에 대한 간섭과 억압을 심하게 받았던 모양이에요. 그래서 내 아이만큼은 그렇게 키우지 않겠다는 생각이 무의식에 늘 각인되어 있었던 겁니다. 게다가 유치원에 다니기 시작한 아이가 친구들의 수준을 지적하며 좀처럼 적응하지 못하는 모습을 보이자, 너무 앞서가는 아이에 대한 걱정에 휩싸이게 된 거지요.

그러나 아이 입장에서 본다면, 공부하고 싶은 심정을 몰라주는 엄마의 태도에 역시나 스트레스를 받게 된 거잖아요. 아이에게 그림을 그려 보라고 하니, 외로운 창가에 홀로 앉은 자기 모습, 또 나무둥지 안에 홀로 갇혀 있는 올빼미 모습을 그렸더라고요. 전문가의 심리 상담에 의하면, 아이는 엄마와 외할머니 사이에서 눈치를 많이 보면서 외로움도 자주 느끼고 스트레스도 적지 않은 환경에 장시간 노출되어 있었다는 것이었습니다.

똑똑한 아이를 두었으니 부모 입장에서 얼마나 흐뭇하고 좋은 일입니까? 또 남들 입장에서 보면 얼마나 부러운 인연이겠어요? 하지만 가정의 분위기나 아이의 정서를 생각하면 정작 남부러울 일이 아닌 거지요. 내 아이만큼은 최고로 키우고 싶고, 때론 자유롭게 키우고 싶은 게 부모의 공통된 마음이잖아요. 그래서 하루에도 몇 번씩 억압과 자유방임을 오르내리며 '내 아이 만큼은……'이라는 강력한 화두에 천착하고 있지만, 한 번쯤 생각해 보세요. 과연 내 아이의 생각과 감정에 귀 기울이고 있는지 말예요. 때때로 소통의 부재는 커다란 바위 앞에 있는 듯한 고독감을, 또 절망감을 느끼게도 하거든요.

인류의 가장 모범적인 소통 사례로, 저는 붓다의 설법을 꼽습니다. 제자가 질문하면 여기에 붓다의 답변이 이어지고, 재차 의

문점들을 물으면 붓다는 제자가 완전히 이해할 때까지 답변을 이어가는 거예요. 깨달음의 내용을 보편화해서 모든 이들에게 일률적인 법을 설한 것이 아니라, 그때그때의 현재적 의문을 가진 상대의 마음에 가장 가까이 다가가 설법을 하셨던 거지요.

부처님을 가리켜 왜 대의왕大醫王이라고 하겠어요? 응병여약應病與藥, 즉 환자의 현재 증상을 먼저 정확히 파악한 연후에 적합한 약의 처방을 내리는 위대한 의사라는 뜻이거든요. 비유하자면 부모는 자녀의 병을 돌보는 의사인 거예요. 따라서 자녀가 현재 느끼는 감정이나 생각에 대해 정확히 아는 일은 매우 중요합니다. 처방은 그 다음 일이겠지요.

02 고부간 갈등, 어떻게 풀어야 할까요?

한 젊은 보살님진각종에서 기혼 여성 신교도를 일컫는 말이 시어머니에 대해 깊은 원망심을 가지고 있었습니다. 매달 꼬박꼬박 적지 않은 생활비를 보내는데도 인사 한마디 없고, 손주들 내복 한 벌 받아본 적이 없다는 거예요. 그래도 김장철이 되면 시어머니가 손수 김치를 만들어 보내시는데 며느리가 먹어보니 젓갈이 너무 많이 들어가서 짜다 못해 쓰더래요. 도저히 구역질이 나서 못 먹겠더라는 겁니다. 매번 딱 한 젓가락 입에 대고는 그대로 다 음식물쓰레기로 버렸다는 거예요.

그래도 그렇지요. 김치가 싫으면 복지시설이나 독거노인, 소년소녀 가장한테 줘도 되잖아요. 아니면 부침개를 해 먹든지 찌개에 넣어 먹어도 되는데, 힘들게 가져오신 음식을 하루아침에 음식물쓰레기로 만들어버리다니요. 옛날에는 가을 햅쌀이 나오면 먹던 묵은 쌀을 쓰레기장에 그냥 버리는 사람도 있었어요. 봉지 째 버리면 어려운 사람이 주워 가기라도 하잖아요. 그런데 꼭 휘익 뿌려서 부어버리는 사람이 있거든요. 완전 놀부 심보인 거지요.

하루는 각자님진각종에서 기혼 남성 신교도를 일컫는 말과 시부모님을 모시고 점심식사를 했답니다. 식사 후에 근처 백화점을 구경하는데 시어머니가 여성복 매장에서 눈을 못 떼고 계시더래요. 그걸 본 각자님이 마음에 들면 한번 입어보시라고 하니 거절도 안하고 코트를 걸치시더랍니다. 그리고는 요즘 이런 게 유행이라며 다들 입고 다닌다고 하시더래요. 보살님은 활짝 웃으며 거울을 보시는 시어머니 얼굴이 그렇게 얄미워 보일 수가 없더랍니다. 그런데 각자님이 잘 어울린다며 사드린다는 거예요. 점원에게 값을 물으니 맙소사, 280만원이더래요. 각자님도 조금 놀란 듯 왜 이렇게 비싸냐고 묻더랍니다. 그랬더니 점원이 하는 얘기가, 밍크 목도리가 둘러진데다 100% 앙고라라서 비싸다는 거예요. 덜덜 떨면서 카드를 꺼내 각자님에게 건네는데, 그때 시어머니 말씀이 "요즘 애들 겨울옷도 사, 오십 만원씩 하잖아? 비싼 거 아니야." 그러시더래요.

시어머니가 평소에 며느리한테 살갑게 대해 주셨다면 며느리도 마음이 달랐을 겁니다. 각자님은 중소기업 사장이라서 벌이가 괜찮았고 며느리는 애견미용사였대요. 수입은 그다지 흡족한 수준이 못 되어도 나름대로 자부심을 갖고 일을 잘 하고 있었는데, 하루는 시어머니 왈, "개털이나 자르는 더러운 일을 왜 하냐?"며 "집에 올 때는 일하던 옷 그대로 입고 오지 마라!"라고 하셨다는 거예요. 무슨 카스트 제도도 아니고, 며느리를 불가촉천민 취급 하시는 거잖아요. 한번은 반찬 만들어 드린다고 장조림을 요리해서 드리니 "달아서 못 먹으니 너나 먹어라." 하시고, 무생채를 만들어 드리니 "우리는 식초 안 넣고 먹는다." 하시며 "너나 먹어라." 하시더래요. 그래서 그 이후로는 아예 시어머니한테 음식을 안 해 드린답니다.

이렇게 고부 갈등이 심한 집안에는 시어머니, 며느리도 마음이 편치 않지만 중간에 낀 각자님은 아주 죽을 맛입니다. 신경전이라도 벌어지는 날에는 각자님이 중간에서 듣고 있다가 어머니 말에 못 참고 아내 편을 들고 말지요. 그러면 결국 시어머니는 울고불고 아들이 변했다며 다 며느리 잘못 들여서 그렇다고 한바탕 난리가 벌어지는 거예요. 이렇게 되면 그 가정은 냉장고 냉기보다 더 썰렁한 온도 속에서 살게 되는 겁니다.

고부간 갈등을 어떻게 풀어야 할지, 진각성존 회당대종사진각종을 창종하신 분의 말씀에 귀 기울여 봅니다.

> **가정이 평안하지 않는 원인이 나에게 있는 줄 모르고,**
> **시어머니는 며느리에게 미루고**
> **며느리는 시부모에게 있다고 한다.**
> **수족手足이 바르지 못한 것을 바르게 하자면**
> **몸 전체를 바르게 하여야 할 것이다.**
>
> 《실행론》5-6-5

03

'관심'과 '간섭' 사이, 너무 어려워요

최근 통계에 따르면, 미국 근로자의 75~80% 정도는 사사건건 간섭하는 상사 때문에 괴로움을 겪은 적이 있다고 하지요. 그리고 근로자 중 1/3은 이런 사람 때문에 이직을 한 경험이 있다더군요. 일하지도 않고 먹으면서, 아는 것도 없고 그렇다고 모르는 것도 없이 마냥 허세만 부리면서 이것저것 참견하기 좋아하는 건달 같은 이들이 적지 않습니다. 쉽게 말해 오지랖이 넓은 거지요. 겉옷의 앞자락을 오지랖이라고 해요. 오지랖이 너무 넓으면 옷을 다 덮어버릴 수도 있고, 다른 물건에 이리저리 닿거나 스쳐서 일 하는데 방해가 될 수도 있어요.

자기와 상관없는 일인데도 일일이 참견하고 사사건건 간섭하는 이들 틈바구니에서 옥신각신 하는 일이 잦다 보니 어느 새 대한민국은 목소리 큰 사람이 이기는 이른바 BJR배째라 증후군 사회라는 주장을 어느 순간 우리 스스로도 인정하고 있는 듯합니다.

가만 보면 본인 일보다는 다른 사람 일에 관심이 더 많아 보이는 사람들이 꼭 있어요. 한 주부가 이른 시간에 마트에 다녀왔답니다. 아침 시간이라 손님도 얼마 없고 한산해서 천천히 둘러보며 이것저것 필요한 것들을 카트에 담아 계산대에 섰는데, 옆에 계시던 할머니 한 분이 힐끔 쳐다보더니 갑자기 혀를 쯧쯧 차시더래요. 그러면서 하시는 말씀이, "얼마 사지도 않으면서 카트는 왜 끌고 다닌데……?" 정작 그 할머니는 아무 것도 안사고 구경만 하다 나오시면서 말이지요.

정이 너무 많은 나머지 본인과 똑같은 시행착오를 겪는 이들을 보면 그냥 넘어가지 못하고 안쓰러워 등이라도 쓰다듬어주거나, 답답하면 정신이 번쩍 나도록 등짝을 후려쳐주는 의리형 간섭은 예외로 하더라도, 이렇게 남의 일에 관여하기 좋아하는 사람은 대개 스스로에 대한 확신이 부족한 경우가 많습니다. 상대는 잘한다고 하는데 자꾸 내가 "이렇게 해야지.", "저렇게 해야지." 간섭을 하면 그 간섭을 따뜻한 관심으로 받아들일 수 있는 사람은 아무도 없어요. 수험생에게는 "어느 대학 갈 거야?", 갓 성인이 된 남자에게는 "군대는 언제 갈 거야?", 복학생에게는 "언제 졸업할 거야?", "어디 취업할 거야?" 등등 남의 일에 너무도 관심이 많은 사람들, 이제 그만 다른 이에 대한 신경은 끄고 자신이 할 수 있는 일과 해야 할 일을 정리해보며 자기 계발을 해 나가는 건 어떨까요?

노파심 많은 부모의 자식 사랑 역시 마찬가지예요. 부모는 자식에 대해 희생과 기대를 동시에 하기 때문에 자식이 결혼한 뒤에도 '내가 신경을 안 써주면 혹시 잘못되지 않을까?' 하는 불안한 마음으로 이 일 저 일에 입을 대게 되고, 자식은 그것을 필요 이상의 간섭으로 받아들이게 되는 것이지요. 진각성존 회당대종사의 말씀에 귀 기울여 봅니다.

양반은 물질을 멀리하여
자손이 백자천손百子千孫 번창하였고,
상민은 물질을 가까이하여
자손이 흩어져 없어졌다.
부모는 살림 간섭하지 말고 의뢰하지 말고
따로 살림을 내놓아야 한다.
부모가 사소한 간섭을 하지 않아야 자식이 잘된다.
부인이 지혜가 있어야
가정 전체가 진리를 찬성하게 되고
찬성할수록 가정이 행복하다.
진리를 찬성하는 마음이 없어지면
가정의 행복도 없어진다.

《실행론》 5-6-10

04

가정이 화목하려면 어떤 노력을 해야 하나요?

스트레스 연구자들에 의하면, 세상 사람들이 스트레스를 받는 이유 중 30%는 이미 지나가버린 일에 대한 집착 때문이라고 합니다. 입안에 돋은 혓바늘을 톡톡 건드려서 아픔을 확인하듯이 그렇게 어떤 아픈 생각을 톡톡 건드리며 자꾸 떠올리게 되는 거예요. 혜민 스님은 이런 상황을 '내 생각의 감옥 안에 갇혀 있다'고 표현하시더군요.

결혼 10년차 부부가 있었습니다. 하루는 부인이 신혼 때를 떠올리면서 이렇게 말했습니다.

"그때 참 좋았는데……."

그래서 남편이 물었습니다.

"만약 그때로 돌아갈 수 있다면 어때? 다시 돌아가고 싶어? 지금까지 살아온 만큼 똑같이 다시 살아야 한다면……?"

그랬더니 부인이 정색을 하고는 고개를 절레절레 흔들더랍니다. 그냥 살랑살랑 흔드는 것도 아니고, 무슨 헤비메탈 가수마냥 고개를 세차게도 흔들더래요. 그걸 본 남편은 은근히 섭섭한 마음을 지울 수 없었다고 토로하더군요.

어떤 분이 TV 프로그램에 출연해서 이런 말씀을 하시더라고요. 남자들은 기억을 잘 못하는 동물인데, 여자들은 온갖 과거를

다 기억한다는 거예요. 이 분이 신혼 초기에는 몇 만원 안 되는 월급으로 한 달을 살 만큼 아주 가난했었다고 해요. 어느 정도였느냐 하면, 남들이 갖다 버린 김치를 몰래 주워와 물에 깨끗이 씻어서 다시 양념을 버무려 김치를 만들어먹었을 정도였답니다. 그런데 시간이 지나 조금 살 만 해졌기에, 가끔은 묵묵히 살아준 아내가 너무 고마워서 두 손을 잡고 "당신 때문에 내가 사는 것 같아……." 하면서 멋쩍은 미소로 분위기를 잡으면, "뭘요? 당신이 힘들어도 잘 참고 버텨줘서 우리 가정이 그나마 이렇게 행복한 거죠."하고 맞받아 주면 얼마나 좋습니까? 그런데 그게 아니라, "당신, 그때 기억나요?"하면서 남편은 기억도 못 하는 어려웠던 시절 얘기들을 얼마나 가슴에 담아놨는지, 줄줄이 비엔나마냥 얘기를 꺼내는데, 그런 아내를 접할 때마다 마치 '미저리'에 나오는 그 여주인공 얼굴이 빙의(?)가 되더라는 거예요.

세상의 모든 남편들은 공통적으로 아내가 행복하길 바랍니다. 가난으로 비참해지거나 스트레스로 골머리 앓길 바라지 않아요. 그러니 이따금씩 정색을 하고 "나 좀 보자."는 식으로 입을 여는 아내 앞에서는 움찔한 마음에 긴장을 늦추지 못하는 거예요. 이렇듯 조금은 불행했던 과거 얘기를 뜬금없이 불쑥 꺼내면, 결국에는 서로 마음이 불편하고 심란해지는 인연으로 틀어지게 되어 있어요. 얘기를 털어놓는 입장에서야 속 시원한 일이 될지도 모르겠지만, 듣는 사람 마음은 그게 아니거든요. 별 좋은 날, 벼르던 집 청소를 한답시고 먼지털이를 사용하면 평소에 안 보이던 수북한 먼지가 다 일어나는 것처럼 심리적으로 긁어 부스럼이 될 일을 애써 자초할 이유가 있을까요?

진각성존 회당대종사의 말씀에 귀 기울여 봅니다.

남을 꾸짖는 마음으로 나를 꾸짖으면
허물이 적어지고,
내가 내 자신을 용서하는 마음으로 남을 용서하면
화목하게 된다.

《실행론》4-1-13

05

청소년들이 자꾸 삐뚤어지는 이유가 뭘까요?

관심이 고갈된 무관심의 상태에서는 좋지 않은 일들이 일어나기 마련입니다. 1969년 스탠포드 대학의 심리학자 필립 짐바리도 교수는 치안이 비교적 허술한 골목을 골라 거기에 보존 상태가 동일한 두 대의 자동차 보닛을 열어놓은 채로 1주일간 방치해 두었습니다. 그 중 한 대는 보닛만 열어놓고, 다른 한 대는 고의적으로 창문을 조금 깬 상태로 놓았어요. 약간의 차이만 있었을 뿐인데, 1주일 후 두 자동차에는 확연한 차이가 나타났습니다.

보닛만 열어 둔 자동차는 1주일간 특별히 그 어떤 변화도 일어나지 않았지만, 반면 보닛을 열고 차의 유리창을 깬 상태로 놓아 둔 자동차는 그 상태로 방치된 지 겨우 10분 만에 배터리가 없어지고 연이어 타이어도 전부 없어졌어요. 계속해서 낙서나 투석, 파괴가 일어났고 1주일 후에는 완전히 고철 상태가 될 정도로 파손되었다고 합니다.

자동차도 이런데, 하물며 사람은 어떻겠습니까? 늘 상대의 이름을 불러주고 사랑과 관심, 칭찬을 베풀어야 합니다. 누군가의 이름을 불러주는 순간 그곳에 생명이 깃들고 영혼이 움트게 되니까요. 요즘 젊은이들은 "무슨 상관이래?" 또는 "신경 끄라"는 말을 곧잘 쓰면서 마치 타인이 자신에게 무관심하길 바라는 듯합니다. "삐뚤어질 테다"라는 유행어가 왜 생겼겠어요? 관심과 사랑을 기대했는데 자꾸 무시와 냉대만 받게 되니 자존심에 상처를 입게 되면서 자꾸 비뚤어지려고 하는 경향이 생기는 거 아니겠어요?

한 손녀가 곧 결혼할 남자친구를 데리고 와서 할머니한테 인사시켰습니다. 귀가 약간 어두우신 할머니가 이렇게 묻습니다.

"그래, 시방 뭘 하고 있다고?"

"과학기술원에 다녀요, 할머니."

잠시 생각하시던 할머니 왈,

"그래, 공부 못하면 기술이라도 배워야제."

사랑의 반대말은 미움이 아닌 '무관심'이며, 세상에서 가장 무서운 복수는 '무시'라고 합니다. 누구를 미워한다는 건, 그래도 그 사람에 대한 관심이 내 마음속 깊이 자리 잡고 있다는 뜻이지만, 무관심이나 무시는 상대로 하여금 존재감을 상실하게 만들거든요.

한 백수 청년이 1주일간의 외박 끝에 부모님이 과연 뭐라고 하실까 내심 걱정하면서 집으로 돌아왔어요. 1주일만의 귀가인지라, 역시 예상했던 대로 어머니는 노발대발 하셨지요.

"너, 이 녀석! 어제 나가서 여태까지 뭘 한 거야?"

화를 낼 거라고 예상은 했지만 내용은 정말 의외였던 겁니다.

'아무도 나에게 관심이 없구나…….'

한탄하며 방으로 들어가 이불을 뒤집어쓰려 하는데 마침 아버지가 술에 취해 들어오셨어요. 아들에게 다가온 아버지는 지갑에서 돈을 꺼내시며,

"야! 백수라고 집에만 있지 말고 나가서 친구들도 좀 만나고 그래!"

어머니의 무관심에 한 번 죽고, 아버지의 무관심에 두 번 죽은 아들의 마음속에는 휑한 바람만 가득했을 겁니다. 차갑고 어둡고 외로운 마음을 인연 짓는 일이 바로 무관심인 거예요. 내가 있는지 없는지조차 알 수 없는 무존재감은 미움이나 증오보다 더 두려운 일입니다. 그래서 어떤 연예인은 "차라리 악플이라도 달린다는 것은 나에게 관심이 있다는 것 아니겠냐." 며 오히려 고마움을 표하더군요.

06

물질시대, 지혜로운 소비법을 알려주세요

막상 명절이 다가오면 음식이나 선물비용, 또 양가에 드릴 용돈이 걱정되고 부담이 앞서는 가정도 많을 거예요. 연말이 되면 특히 여기 저기 돈 쓸 일이 많잖아요? 이럴 때일수록 우리의 씀씀이를 한 번 점검해 봐야겠습니다.

한 각자님이 유모차를 사야 하는데, 예산으로 30만원을 생각하고 있었대요. 그런데 보살님이 유명브랜드 전시장에 다녀와서는 그 메이커에 꽂혀서 그것만 사겠다고 난리인데, 가격이 현찰가로 해서 742,000원이라나요? 각자님 입장에서는 굳이 형편도 좋지 않은데 그런 유모차를 타야 하나 하는 생각이 들어 답답하더라는 거지요.

물론 기능적인 면에서 보면 핸들링도 부드럽고 공원에 갈 때 바퀴가 잘 굴러가니 힘이 많이 안 들겠지요. 하지만 단점도 있어요. 너무 무거워서 트렁크에 넣을 때 여성 혼자 힘으로는 버거울 수 있고, 또 소형차에는 안 들어갈 수도 있는 겁니다. 모든 물건에는 장단점이 있는 법이잖아요? 지팡이 하나를 예로 들더라도, 산에 올라갈 땐 편하지만 내려올 땐 불편한 이치와 같습니다.

등산용품에 거품이 많은 것처럼 유모차 역시도 마찬가지예요. 아이는 금방 크잖아요? 좋은 유모차를 사려는 건 아기를 위하는 게 아니라, 어쩌면 보살님 본인을 위한 게 아닌지 생각해봐야 합니다. 모든 엄마들이 가격을 아는 유모차이니, 비싼 유모차를 끌고 밖에 나가면 명품 가방이라도 든 것처럼 어깨에 힘이 들어가겠지요. 흔히 간지 난다고 하잖아요. 하지만 정작 아기에게는 도움이 되는 게 전혀 없다는 걸 아셔야 해요.

이렇게 체면을 만족시키기 위한 소비를 경제 전문 용어로 '과시적 소비'라고 합니다. 물건을 살 때, 사용하기 위해서가 아니라 다른 사람의 관심을 끌기 위해 구매한다는 것이지요. 특히 패션브랜드 산업이 바로 이러한 소비를 부추기게 됩니다. 이런 구매는 남들의 시선을 의식한 허영이고 허세일 가능성이 크거든요. 자기 자신에 대해 뚜렷한 주관이 없거나 자기 세계가 없는 사람은 외형적인 치장에 눈을 돌리기 마련이에요. 그리고는 가짜 물건에 대해 엄청난 대가를 치르듯 자신의 허영심에 큰 보상을 치르게 됩니다.

허영심을 채우면 잠깐 만족할 수는 있어요. 하지만 정도가 지나치면 이내 무거운 짐이 되어 어깨를 짓누르게 됩니다. 몇백만 원 하는 모피코트를 맡기고 미용실에 앉아 있으면 자꾸 옷걸이 쪽으로 시선이 향하게 되잖아요. 싼 옷은 대충 입으면 되는데, 비싼 옷은 입는 수준이 아니라, 등에 업고 다니는 수준이 되는 거예요.

현대물질사회에서 합리적이면서도 지혜로운 소비를 하려면 어떻게 해야 할지 진각성존 회당대종사의 가르침을 되새겨 봅니다.

참새가 하늘을 날아다녀도
결국 나뭇가지에 날아들듯이
부인은 자석과 같아 남편을 당기는 힘이 있다.
부인이 진리를 세우면
자연 남편이 진리를 가까이하게 된다.
남자는 오욕인 색色, 식食, 재財, 명예名譽,
수면욕睡眠慾을 단제하고
여자는 탐진치 삼독을 단제해야 한다.

《실행론》5-6-7

07

부부간의 사소한 트러블, 어떻게 해결해야 할까요?

연애와 결혼은 다르다는 얘기를 종종 합니다. 연애만 할 경우에는 여자가 집안일을 잘하든 못 하든 남자는 그 사정을 알 도리가 없지요. 또 여자 입장에서 보면 하늘의 별이라도 따줄 듯이 늘 자상하기만 한 그 남자의 진짜 성격을 알 도리가 없습니다. 그러나 결혼 후 2~3년만 지나면 연애시절 마냥 설레고 좋았던 그 상대는 단지 콩깍지가 씌워진 허상이었음을 금방 알아차리게 된답니다.

연애하는 동안 그의 흐트러지지 않은 단정한 모습, 깔끔한 헤어스타일하며 뒷주머니에 항상 꽂혀 있던 손수건, 반짝반짝 윤이 나는 구두까지 모든 게 너무나 좋아만 보였는데 막상 결혼해서 보니, 오히려 그냥 지켜보기만 하면 되던 '남'일 때의 '그'가 더 좋았다는 주부들이 꽤 계시더라고요.

한 보살님이 그랬습니다. 사연인즉슨, 머리 감은 뒤에 드라이기로 머리를 말리다 보면 항상 바닥에 머리카락이 떨어져 있기 마련인데, 바쁜 아침 시간은 그냥 넘어가고 나중에 치우면 그만일 텐데 꼼꼼한 신랑은 절대로 그걸 두고 보지 못한다나요?

"아우, 더러워……지저분해……당신 혹시 탈모증 있어?"

"더/러/워? 내가? 그래, 난 더러우니깐 옆에 오지도 마!"

이런 식으로 자주 다투게 되는 겁니다. 양치할 때 같은 컵을 사용하지 않는 건 물론이고, 심지어는 손잡이 있는 쪽으로 입술을 대고 마실 때도 있답니다. 주말에 급한 약속이 있어서 옷 갈아입고 그냥 나가버리고 난 후에 돌아와 보면 언제 그랬냐는 듯 말끔하게 치워져 있는데 그럴 때마다 은근히 자존심이 상하더라는 거예요.

각자님은 각자님대로 할 말이 없는 게 아닙니다. 우리나라 속담에 '바느질 잘하는 여자는 소박을 맞아도 음식 잘하는 마누라는 소박을 안 맞는다'라는 말이 있잖아요? 이 말은 그만큼 음식을 만드는 게 집안일 가운데 가장 중요한 일이라는 뜻일 겁니다. 아내는 스스로 요리에 소질이 있다고 자부심을 갖고 사는 모양인데, 사실은 그녀가 자꾸 새로운 음식을 개발했다고 말할 때마다 남편은 바싹 긴장을 해서는 실험용 생쥐마냥 새파랗게 얼굴이 질리고 맙니다. 거의 대부분의 음식들이 희한한 맛도 맛일뿐더러, 꼭 그 음식들을 먹고 난 후에는 소화도 안 되고 위장도 좋지 않다는 거예요. 그렇다고 매 식사때마다 아내가 열심히 차린 음식에 싫은 소리를 할 수도 없는 노릇이고, 하루하루 입에 안 맞더라도 꾸역꾸역 참고 먹는다는 겁니다.

부부 사이에는 서로가 속마음을 털어놓는 허심탄회함〔진실〕못지않게 때로는 속마음을 들키지 않고 상대를 배려할 수 있는 '하심'과 '인욕'이라는 센스〔방편〕가 필요한 법이지요. 하지만 정작 마음을 털어놔야 할 순간에 꿍꿍이를 감춘다거나, '그러려니'

하고 넘어가야 좋을 상황에 끝까지 추궁하려는 마음이 되면 종종 진실과 방편의 균형이 깨져 부부싸움의 원인이 되고 마는 거예요. 비가 오면 땅이 젖는다고 해서 온 땅을 찾아다니며 비닐을 씌울 수는 없는 노릇입니다. 내 발에 장화를 씌우는 편이 훨씬 낫지요. 나를 화나게 하는 것이 있다고 해서 일일이 그들에게 뭐라 할 수 없지 않겠어요? 다만 내 마음의 화를 스스로 다스리면 되는 일인 거예요. 이 세상 모든 것은 사람의 한 생각에서 나온 겁니다. '감사하다' '은혜롭다'는 한 생각만 있으면 누구든, 어떤 상황이든 원망할 일이 없어요. 늘 처음을 생각하는 마음으로, 어려운 시절에 근심과 곤란을 함께 겪었던 소중한 인연배우자, 지인, 스승 등에게 고마운 마음을 전하는 하루하루가 되시기를 서원원(願)을 발하여 그것을 이루고자 맹서하는 것합니다.

08

병고病苦에 시달릴 때 어떻게 마음을 다잡으면 좋을까요?

〈한 끼 줍쇼〉라는 TV프로그램, 혹시 보신 적 있나요? 저는 얼마 전에 '다시 보기'로 몇 번 봤는데, 너무 훈훈하고 좋더라고요. 초등학교 시절에 사정이 어렵고 연로하신 분이 간혹 심인당진각종의 법당에 찾아오는 경우가 있었습니다. 그러면 어머니께서는 불공 기간이 아닐 때는 손수 밥상을 후다닥 차려 소찬을 드시게 했던 기억이 납니다.

때론 문전박대를 당하기도 하고, 때론 초인종 사이로 들려오는 냉랭한 소리에 서글픈 얼굴빛을 감추지 못하는 이경규·강호동 씨를 보면서, 모르는 집 식구와 밥 한 끼를 나눈다는 것이 이 현대사회에서는 얼마나 어려운 일인가를 절감하게 되더군요.

한번은 어느 독실한 가톨릭 집안 식구들이 소개된 적이 있었어요. 어머니와 중학생 된 막내딸이 이경규 씨와 식사하는 도중에 50대 후반 정도로 보이는 가장이 뒤늦게 퇴근해 들어왔는데, 얘기를 들어보니 몇 달 전까지만 해도 병원에 있었다는 거예요. 당시에 친구들을 만나 식당에서 소간을 먹었는데, 그게 탈이 나서 온몸에 기생충이 퍼져버렸던 모양이에요. 처음에는 앞이 흐릿하게 보여서 안과에 갔더니, CT를 찍어본 의사가 "눈이 문제가 아니고 뇌에 물이 차 있는 것 같다."면서 종합병원에 가 보라고 하더래요. 그래서 급하게 접수를 마치고 검사를 해 보니, 기생충에 감염이 되었다면서 전신마취 수술을 해야 한다는 거였어요.

결국에는 일곱 차례에 걸친 큰 수술을 했다고 합니다. 한 번 수술할 때마다 8시간이 걸렸고, 한 번에 기생충 30마리 정도를 꺼내는 것 같더래요. 수술을 많이 한 탓에 얼굴이 축나고 몸이 급격하게 늙어버렸다고 해요. 하지만 그러면 그럴수록 가족들의 사랑과 관심만큼은 더 강해졌고, 오히려 이 일로 인해 가족 간에 똘똘 뭉치게 되었다고도 합니다. 딸은 자신이 받은 장학금을 아버지의 수술비에 보탰고, 뜸하던 두 아들 역시도 왕래가 더 잦아졌대요. 부인의 좋은 점과 나쁜 점을 말해보시라고 했더니, "부인의 희생 덕분에 지금의 자기가 있는 건데, 어떻게 나쁜 점이 있을 수 있겠느냐"면서 무조건 너무나 고맙다는 말씀만 연거푸 하시더라고요.

정말이지 육신이라고 하는 것은 오늘 비록 건강하더라도 내일을 기약할 수 없습니다. 숨 한번 들이켰다가 내쉬지 못하면 바로 내생인 거예요. 살아서 건강할 때 자기를 위하고 남을 위해서 서원하고 염송진각종의 주된 수행법. 육자진언 옴마니반메훔을 소리 내어 반복적으로 낭독하는 것을 말한다.할 수 있다는 것은 얼마나 다행스러운 일입니까. 더구나 내 피와 살이 섞여 있는 분신인 내 가족, 때로는 나 자신보다 더 소중하게 여겨지는 일가 친족, 그리고 내 주위의 여러 인연을 위해 불공 정진할 수 있다는 것은 환희한 일이요, 복 받은 일이 아닐 수 없습니다. 그러니 어찌 간절하게 희사진각종의 주된 수행법. 기쁜 마음으로 불전에 재물을 내놓아 진리와 자선사업에 쓰이도록 하는 일하고 절실하게 염송하지 않을 수 있겠습니까.

참된 신행을 통해 늘 다행스럽고 감사한 마음을 가지니, 우리 주위에는 온통 은혜로운 일들뿐입니다. 또 그렇게 될 때 진정한 발심이 되고, 하심下心이 되어서 마음도 비워집니다. 마음이 비워지면 비로소 불공의 원력이 일어나게 되고, 이러한 체득을 통해 자기를 희생하여 남에게 봉사하는 마음까지도 일으켜 환희한 대자대비의 삶을 살 수 있습니다.

몸이 아프거나
재산에 손해가 있거나
마음에 공포심이 생기거나
감정이 상하는 일이 있어도
그것을 달게 받고 퇴전하지 말아야 한다.
기쁜 일에도 역시 용맹으로
시간불공시간을 뜻함을 꼭 지켜야 한다.
이것은 고행을 이겨내는 것이며
애착을 끊는 것이다.

《실행론》3-4-9

09

자녀의 허물을 고치려면 어떻게 해야 할까요?

자식이 부모를 본받는다는 유명한 설화가 있습니다. 3대가 사는 집이 었는데, 할아버지가 거동이 불편하자 아버지는 할아버지를 내다 버릴 생각을 했습니다. 어느 날 아들과 함께 할아버지를 지게에 싣고 깊은 산 속으로 들어갔어요. 그런데 가는 도중 할아버지는 계속해서 나뭇가지를 꺾는 것이었습니다.

이상하게 생각된 손자가 "할아버지, 왜 나뭇가지는 꺾으세요?"라고 물었습니다. 그러자 할아버지는 "나는 이미 버려진 몸이지만, 너희들이 돌아가는 길을 잃을까 봐 그런다."라고 하는 것이었습니다.

드디어 깊은 산 속에 도착하자, 아버지는 할아버지를 남겨 둔 채 돌아서려고 했어요. 이때 손자가 지게를 다시 지는 것이었습니다.

"헌 지게를 가져다가 뭐 하려고 그러느냐?"
"아버지가 할아버지처럼 늙었을 때 다시 쓰려고 그럽니다."

이 말에 깊이 뉘우친 아버지는 할아버지를 모시고 돌아와 정성껏 효도했다고 합니다.

"자식은 부모를 닮는다"라는 말이 있듯이, 부모가 본보기를 보여야 자식이 올바로 성장할 수 있습니다. 종조님회당대종사께서도 같은 취지의 말씀을 하셨지만, 중국 주나라 정치가였던 강태공은 "내가 부모님께 불효했다면 자식이 어찌 나에게 효도하기를 바라겠느냐?"라고 말했습니다. 곧 땅에 묻힐 본인 생각은 안중에도 없이 자식이 돌아가는 길에 헤맬 것을 걱정하여 나뭇가지를 꺾어 땅에 떨어뜨렸던 노부의 행동에, 지난날 우리가 부모에게 보였던 잘못된 말과 행동을 참회하게 됩니다.

우리 가정에서 언젠가부터 노인을 최우선으로 공경하고 최고의 자리로 모시는 일이 없어졌지요. 그것은 부모님이 안방을 내주고 난 이후부터 생겨난 일은 아니었을까요? 노인들은 자녀의 삶에 조금이라도 누가 될까 싶어 뭐든지 다 양보를 합니다. 그러다 보니, 젊은 부부가 안방을 차지하고 노인들이 작은 방으로 옮겨 앉게 되었어요. 그러고 난 이후부터 작은 방에서 일어나는 일들에 대해 온 집안이 신경을 쓰지 않게 된 것은 아닐까요?

오죽하면 "③번아 잘 있거라. ⑥번은 간다."라는 편지가 다 있답니다. 이 편지는 과연 누가 누구에게 쓴 걸까요? 그것은 바로, 도시의 아들 집에 다녀간 아버지가 자기 집으로 가면서 아들에게 남긴 편지라고 합니다. 아들 집에서 얼마 동안 머물면서 아버지는 가족들의 우선순위를 파악했다고 하지요. ①번은 손자, ②번은 며느리, ③번은 아들, ④번은 강아지, ⑤번은 가정부, 할아버지인 자기는 ⑥번이었던 겁니다.

여러분은 과연 몇 번이십니까? 그리고 여러분의 부모님은 과연 몇 번이십니까? 혹시 ③번도 아닌, 강아지만도 못한 ⑤번인 것은 아니겠지요? 평생을 가족과 자녀의 뒷바라지에 온 정성을 쏟아부었는데 결국 노년에 돌아오는 건 강아지만도 못한 취급인 것은 아닌지 다 함께 돌아볼 일입니다. "③번아 잘 있거라. ⑥번은 간다."는 말에는 이 시대의 노인과 남자들의 비애가 담겨 있습니다. 시부모와 남편 귀한 줄은 모르고 저 자신과 자식밖에 모른다는 이 시대 여성들에 대한 비난일 수도 있습니다. 젊은 여성들이 이렇다 보니, 요즘 늙은 시부모는 ⑥번, 남편은 ③번 혹은 ④번이랍니다. 이것이 요즘 세태의 한 단면이라는 것을 부인하기 어렵지요.

하지만 부처님의 인연법을 아는 불자라면 지금 잘해야 합니다. 왜냐하면 지금 ②번인 며느리도 늙으면 별수 없이 ⑥번이 되기 때문이에요. 우리 모두 ⑥번을 향해 가고 있는 셈인 겁니다. 진각성존 회당대종사의 말씀에 귀 기울여 봅니다.

> 내가 부모에게 지은 그 허물을 뉘우치면
> 효순하지 아니하던 아들딸의 그 허물이
> 자연 속히 없어지고
> 내가 시어머니에게 지은 허물 참회하면
> 며느리의 큰 허물이 없어지는 것이니라.
>
> 《실행론》 3-10-1

10

세상의 가장 큰 선善과 가장 큰 악惡은 무엇인가요?

〈포프리쇼〉 강연으로 유명한 김창옥 씨를 아십니까? 그분이 어느 날 열여덟에 결혼하신 일흔아홉 어머니께 "엄마, 나 어떻게 낳았어?"하고 여쭈었답니다. 그랬더니 어머니 왈, 양가 사이의 할아버지가 서로 친구 사이였는데 술을 드시다가 그쪽에서 "자네 딸, 우리 아들 주세." 하고 말씀하셨는데, 외할아버지가 너무 취하셔서 "그러세!" 하고 대답했다는 것이었지요. 결국 어머니의 의지와는 전혀 상관없이 결혼했던 겁니다.

어머니는 결혼 첫날 알았답니다. 아버지가 청각장애인이며, 시어머니는 두 번째 분이었고, 시댁 식구는 열두 명이나 된다는 사실을 말이에요. 그래서 어머니는 도망가기로 결심했답니다. 그런데 덜컥 애가 생겼대요. 그래서 '애만 낳고 도망가야지……'했는데 덜컥 또 둘째가 생겼고, 그 이후에 덜컥 또 셋째가 생겼고……. 결국에는 아들 하나, 딸 넷이 생겨버렸답니다. 제사는 일 년에 열두 번. 그래서 큰아들 걱정을 하게 되었고, 걱정 끝에 아들 하나를 더 낳기로 결심하고 둘째 아들을 가졌다고 해요. 결국 김창옥 씨는 본인이 사랑받기 위해 태어난 것이 아니라, 형님의 제사 부담을 덜기 위해 태어난 거란 생각을 지울 수가 없다고 하소연을 하시더라고요.

중학생 때 버스를 타면 어머니가 글을 보지 않고 자꾸 숫자를 보시는 것을 보고 엄마가 글을 모르신다는 사실에 적잖이 충격을 받았지만, 학교에서 받아온 성적표를 조작한다든가 성적표가 안 나왔다고 거짓말을 한다든가 해서 '엄마가 글을 몰라서 나의 삶에 관여하지 않으니까 좋은 면도 있구나.'하고 생각했답니다. 청소년이 되면서 돈이 필요해지면, "엄마, 나 영한사전 사야 돼. 돈 줘!" 돈을 받아내서 다른 데 쓰고, 일주일 후 또 "사전 사야 돼!" 하고 졸랐다고 해요. 어머니께서 "또 사? 지난번에 샀는데 뭘 또 사?" 하시면, "이번엔 한영사전 사야 돼." 나중엔 "프라임 사전 사야 돼." 등등 어머니를 속이는 일은 점점 늘어났다고 합니다. 그 당시엔 어머니를 잘 속였다고 생각했는데, 시간이 지나 본인이 어른이 되고 나서 생각해보니 알고 계셨으면서도 속아 주신 어머니의 마음을 막연하게나마 알 것 같더랍니다.

나중에 사업이 잘되어 돈을 좀 벌게 되어서, "어머니, 우리 금강산 한 번 갈까?" 하고 전화로 물었대요. 그랬더니 어머니 왈, "막둥아, 엄마는 다 살았다. 3년 살면 이제 끝이여. 뭐단디 금강산을 가?" 하시더랍니다. 그러고는 본인 얘기만 다 하시고는 전화를 뚝 끊으시더라는 거지요. 그래서 취소를 하라고 하시는 건지, 돈으로 보내라고 하시는 뜻인지, 어떻게 할지 몰라 고민하고 있는데 10분쯤 후에 셋째 누님한테서 전화가 왔대요. 누나 왈, 너 때문에 누나들이 못 살겠다. 엄마한테서 방금 전화가 와서 "막둥이는 금강산 보내준다는데 너희들은 뭐냐고!" 하시면서 자랑 반, 욕 반을 쏟아부으시더라는 거예요. 그 이후로 김창옥 씨는, 어머니의

'뭐단디'란 말은 금강산 표를 꼭 끊으라는 뜻이라는 사실을 깨닫게 되었다고 하더군요.

대다수의 어머니들은 자식에게 많이 주기 위해 본인은 못 먹고 못 누리는 경우가 많습니다. 생선을 좋아하는 자식을 위해 젓가락으로 생선살을 정성스럽게 발라 밥 위에 올려주시곤 하셨던 어머니. 생선살을 다 발라주시고 대가리와 뼈만 남은 찌꺼기를 입에 넣고 쪽쪽 빠시면서 "생선은 역시 대가리가 더 맛있다."며 애써 위안하시던 모습이 눈에 선합니다.

세상의 모든 인간은 어머니의 젖을 먹고 자랐습니다. 어머니가 무슨 바이러스를 가지고 있건 아기의 몸속으로 건네지는 과정에서 악성惡性을 비롯한 대부분의 바이러스는 소멸된다고 합니다. 어머니의 절대적인 희생과 사랑 덕분에 지금의 내가 있음을 명상하면서 진각성존 회당대종사의 말씀을 참회하는 마음으로 되새겨 봅니다.

착함이 지극한 것은 효孝보다 큰 것이 없고
악함이 지극한 것은 불효보다 큰 것이 없다.
내가 효순하는 길이
모든 중생들이 효순하는 길이 된다.

《실행론》4-2-6

11

시월드(?) 트러블, 근본적인 해결책은 없나요?

한 보살님이 주말에 아들네 가서 우연히 냉장고를 봤는데 생수병, 음료수, 맥주밖에 없고 쌀통도 텅텅 비어있는데, 라면 봉지는 쓰레기통에 잔뜩 쌓여있더랍니다. 차라리 안 보는 게 나았을 냉장고를 봐 버렸으니 속으로 별별 생각이 다 드는 거예요. '주중엔 바빠서 그렇다 쳐도 주말에는 밥 한 끼 정도 해먹을 수 있는 거 아닌가'하는 생각부터 해서……. 때마침 아들 혼자 놔두고 친구들 만나러 외출한 며느리에게 서운하고 아들이 안쓰럽다는 생각이 들더랍니다.

맞벌이기도 하고, 꼭 여자가 밥하란 법 없고 남자도 알아서 챙겨 먹으면 된다고 생각하면서도 막상 아들 내외 사는 모습을 보니까 한숨이 나오더라는 거지요. 섭섭한 마음을 억지로 가라앉히며 저녁 늦게 돌아온 며느리에게 "반찬 좀 해다 줄까?" 하니 며느리가 하는 말이, "저희 일주일에 집에서 밥 한번 먹을까 말까예요." 그러는데, 이쯤 되니 슬슬 부아가 올라와서 진심瞋心, 마음에 독을 품고 분노하거나 짜증내는 일 나기 전에 서둘러 집을 떠나왔다고 합니다.

그런데 이 며느리도 평소에 시어머니에 대한 섭섭한 마음과 원망심이 없는 게 아니었어요. 결혼 후 처음 크리스마스를 맞았을 때 일이랍니다. 맞벌이 부부라서 서로 일 마치고 미리 예매했던 영화를 보기로 했어요. 그런데 하필 시아버님이 갑자기 출장을 가시는 바람에 혼자 계신 시어머니가 외로우실까 봐 영화 보는 걸 취소했다는 겁니다. 그래서 시어머니를 오시라고 해서 모시고 집 근처 식당에서 같이 저녁 식사를 했대요. 신혼인데도 남편과 둘이 데이트도 못 하고 영화도 취소한 게 살짝 기분이 상했지만, 시어머니께서 즐거워하시는 모습에 차츰 마음이 좋아졌다고 합니다. 그래서 되려 짜증스러웠던 마음을 참회하게 되더라는 거지요. 그런데 남편이 술을 조금 마시는 바람에 운전을 못 하니 택시를 잡아서 시어머님을 태워드리며 용돈 오만 원을 쥐어드렸대요. 거리로 따지면 5~6천 원이면 갈 수 있는 거리였지만, 연말이기도 하고 해서 조금 더 드렸다는 거예요.

식당에서 집까지 걸어서 10분도 채 안 되었는데, 남편과 이 보살님은 집에 오는 길에 슈퍼에 들러 간식거리를 조금 사서 집에 오자마자 영화를 다운받아 보자며 "뭐가 재밌지?" 하면서 행복한 고민을 하고 있는데 때마침 시어머니한테서 전화가 왔어요. 그런데 전화를 받자마자 "잘 도착했는지 걱정도 안 되더냐?"며 역정을 내시면서 막 우시더라는 거예요. 이 보살님 입장에서는 시댁 다녀오면 매번 전화를 드렸었고 그날 역시 전화를 드릴 생각이었지만 시간이 조금 늦어져서 타이밍을 놓쳤을 뿐인데, 그걸 가지고 우실 일은 아닌 것 같단 생각이 들었고, 본인도 잘해드리고 핀잔을 받으니 섭섭한 마음이 더 크게 들더라는 겁니다. 그 바람에 기분이 안 좋아져서 남편과도 보기로 한 영화를 안 보고 그냥 잠이나 자자며 그렇게 결혼 첫 크리스마스가 지나갔대요. 그런데 문제는, 크리스마스가 지나서도 아직 서운한 마음이 가시지 않으셨는지, 시어머님이 며느리 전화 수신 거부를 해 놓으시고는 보살님 전화는 안 받고 남편 전화만 받으시더라는 겁니다. 이럴 때 시어머님을 다시 안 볼 수도 없고, 며느리 입장에서 보통 곤혹스러운 일이 아닐 거예요. 잘못을 했으면 찾아뵙고 용서를 구하면 되는데, 크게 잘못한 게 없는 것 같은데도 질책을 받으면 그 섭섭함을 어떻게 해소할 길이 없거든요.

진리로 보고, 당체로 보면 모든 것은 인과법입니다. 시어머니의 얄궂은 행동은 결국 며느리가 살펴볼 참회거리가 되고, 며느리가 보인 허물은 시어머니가 돌아봐야 할 참회거리가 되는 거예요. 이럴 땐 우선은 '바라는 마음'을 내려놓고 참회해야 합니다. 누구나 다 원하는 게 있어요. 시어머니는 며느리에게, 또 며느리는 시어머니에게 이건 좀 이랬으면, 저건 좀 저랬으면, 사소한 일이지만 늘 바라는 게 많습니다. 상대를 탓하고 바라는 마음이 일어날 때 어떻게 서원하고 정진하면 좋을지, 진각성존 회당대종사의 말씀에 귀 기울여 봅니다.

가정이 평안하지 않은 원인이 나에게 있는 줄 모르고,
시어머니는 며느리에게 미루고
며느리는 시부모에게 있다고 한다.
수족手足이 바르지 못한 것을 바르게 하자면
몸 전체를 바르게 해야 한다.

《실행론》5-6-5

12

긍정적인 대화를 하려면 어떻게 해야 하나요?

같은 초등학교에 다니는 쌍둥이 형제가 학교에서 시험을 봤습니다. 전부 다섯 문제였어요. 형은 5개 중에 4개를 맞았고, 동생은 5개 중에 1개를 맞았습니다. 형은 풀이 죽어서 엄마에게 말했어요. "엄마, 나 4개밖에 못 맞혔어." 그러자 옆에 있던 동생이 바로 대답했어요. "엄마, 난 4개 빼고 다 맞았어요!"

같은 상황이라도 받아들이는 마음 여하에 따라 행복이 되기도 하고, 불행이 되기도 합니다. 칭찬과 비난도 마찬가지예요. 칭찬할 상황이 따로 있고, 비난할 상황이 따로 있는 게 아니거든요. 비난할 상황인데도 칭찬을 해 주면 얼마나 좋겠어요? 그런데 우리들 중생은 어떻게 합니까? 칭찬을 해 줘도 시원찮을 판에 "이렇게밖에 못해?"하는 경우가 대부분이거든요. 칭찬은 고래도 춤추게 한다잖아요? 닦달하고 나무라기보다는 자꾸 칭찬하고 격려를 해 줘야 뭐든 잘할 수 있는 법입니다.

초등학교 1학년 산수 시간에 선생님이 한 아이에게 질문했어요.
"1 더하기 1은 뭐지?" "잘 모르겠습니다."
그러자 선생님이 화가 나서 말했어요.
"그것도 모르니? 넌 정말 밥통이구나! 다시 계산해봐라. 너하고 나하고 합치면 몇이 된다고 생각하니?"

그러자 아이 왈, "그거야 식은 죽 먹기지요. 밥통 두 개입니다."

되로 주고 말로 받는 법이지요. 늘 칭찬이 아쉬운 세상입니다. 잘못을 지적하기보다는 이왕이면 칭찬을 해 주세요. 아이뿐만 아니라 각자님과 보살님 간에도, 또 이웃 간에도 마찬가지예요.

긍정적인 대화를 하려면 긍정적인 마인드를 가지는 것이 중요합니다. 예를 들에 부부간에 문제가 생겼을 때 화난 얼굴로 따지듯이 말하는 것과 웃는 얼굴로 유머러스하게 넘기는 것 중에서 어느 쪽이 더 효과적이겠어요? 당연히 웃는 얼굴로 말하는 편이 낫겠지요.

한 보살님이 이웃집에 갔다가 속이 무척 상해서 돌아왔습니다. 이웃집 여자가 생일 선물로 남편에게서 화장품 세트를 받았다고 자랑을 했기 때문이었어요. 보살님은 각자님한테 막 짜증을 부렸습니다.

"옆집 만득이 엄마는 생일 선물로 화장품 세트를 받았다는데 당신은 뭐예요? 지난달 내 생일 때도 통닭 한 마리로 때우질 않나……."

그러자 각자님이 혀를 끌끌 차며 이렇게 말했어요.

"쯧쯧, 그 여자도 참 불쌍하구먼."

"아니, 그 여자가 불쌍하다니, 그게 무슨 말이에요?"

"만득이 엄마가 당신처럼 예뻤어 봐. 화장품이 왜 필요하겠어?"
아내의 투정을 이렇게 위트와 재치로 넘길 수 있다면 사소한 진심 법문쯤은 쉽게 이겨낼 수 있을 거예요. 상대방을 부정하거나 위축시키지 말고, 자꾸 힘을 돋워주고 토닥토닥 위로해주는 긍정과 격려의 삶을 사시기 바랍니다.

왜 칭찬하는 삶을 살아야 하는 걸까요? 진각성존 회당대종사의 말씀에 귀 기울여 봅니다.

> 세간에는 좋은 일이 많다.
> 내가 못한다고 그것을 비판하지 말고 칭찬해야 한다.
> 예를 들면, 외과外科를 잘하는 사람은
> 내과內科를 비판해서는 안 된다.
> 다른 이의 옳은 것을 칭찬해야 한다.
> 나의 뜻에 맞지 않거나 참회하지 않더라도
> 그것을 비판하지 말아야 한다.
> 비방하면 곧 큰 재앙을 만나게 된다.
> 우리는 항상 가까운 데서 죄를 짓는다.

《실행론》4-8-6(나)

13

세대 차이를 없앨 방법이 없을까요?

세상이 너무 빠르게 변하다 보니 요즘에는 쌍둥이 간에도 세대 차이를 느낀다는 말이 있을 정도입니다. 기성세대와 청소년들은 살아온 환경이 서로 달라요. 그러니 현실을 인식하는 관점이나 가치관이 다를 수밖에요. 부모와 자녀의 경우가 그렇습니다. 자칫 말을 잘못해서 분위기를 썰렁하게 했다가는 아이들한테 '아재' 소리를 듣기 십상이더군요. 심지어는 반야심경의 마지막 구절을 보란 듯이 중얼거리더라고요. '아제아제바라아제~!' 하고 말이지요. 제 귀에는 마치 "아재, 아재! (이리 좀 와) 봐라 아재!"로 들리더군요.

세대 차이를 느끼는 많은 이들이 있지만, 특히 며느리와 시부모님 사이는 더할 거예요. 어느 며느리의 카톡 사연을 보면 단적으로 그 사실을 미루어 짐작할 수 있습니다.

며느리 : (카톡에) "아버님, 파이팅!"
시아버님 : "왜 반말을 하니?"
며느리 : "……."

며느리 딴에는 시아버님께 힘을 실어드리고 나름 점수 좀 따려고 애교성 멘트를 날린(?) 것뿐인데 세대가 다른 시아버님 입장에서는 며느리의 반말이 살짝 언짢으셨던 모양이지요. 좋아하실

줄만 알았는데, 예기치 못했던 시아버님의 반응에 아무런 대답도 못 하고 섭섭한 마음에 풀이 죽은 며느리의 서글퍼하는 모습이 눈에 선합니다.

직장인의 경우도 마찬가지예요. 직장인 10명 중 8명은 직장 내에서 세대 차이를 겪고 있다더군요. 자주 화를 내는 성격 때문에 다른 직원들의 미움을 받는 한 상사가 안절부절 못하고 있었대요. 부하 직원 한 사람이 옆에서 보니 절단기를 작동시키는 방법을 모르는 것 같더랍니다. 비록 모두가 싫어하는 상사였지만 도와줘야 한다는 생각이 들더래요.

보다 못한 그 부하 직원이 다가가 물었어요.

"무슨 문제가 있습니까? 도와드릴까요?"
"그러게 말일세. 도무지 기계를 잘 몰라서……."

부하 직원은 쉽게 스위치를 켜고 상사가 준 문서를 절단기 속으로 밀어 넣었어요. 문서가 다 말려 들어가자 상사는 싱긋 웃으며 말했습니다.

"역시 젊은 사람들이 좋아. 이제 한 부만 더 복사해 주게."

그러나 문서는 이미 잘게 조각난 뒤였지요. 부하 직원이 놀라서 자초지종을 설명했고 상사는 당황했지만 자기 잘못이기도 하고 어리둥절하기도 해서 그만 허허허 웃고 말았답니다.

며칠 뒤 이 이야기가 같은 부서 사람들에게 퍼져나갔어요. 그런데 평소 권위적이고 딱딱하게 굴며 화를 잘 내던 그 상사의 이미지가 오히려 재미있고 조금은 인간적인 이미지로 바뀌게 되었고, 덕분에 직원들도 한결 가까운 기분으로 친근하게 대할 수 있었다고 합니다.

실제로 기업의 많은 간부들이 '세대 차이 극복의 노하우'에 목말라 하고 있는데 그 대답은 별것 없습니다. 함께 자주 웃을 수 있는 기회를 만들라는 거예요. 그러려면 종종 실수를 해야 합니다. 그 사람의 약점에 그 사람의 영혼이 있는 법이지요. 웃음은 마음의 장벽을 무너뜨리는 가장 효과적인 묘약이거든요. 열린 마음으로 일 이외의 부분을 같이 공유하고, 소소한 얘기를 자주 나눈다면 누구나 호감을 느끼는 좋은 리더가 될 수 있을 겁니다.

연일 사회적 이슈로 오르내리는 갑질 문제를 슬기롭게 극복하고 각자의 위치에서 지혜롭게 세대 차이를 극복하는 방법은 없을까요? 진각성존 회당대종사의 말씀에 귀 기울여 봅니다.

부귀인富貴人과 권력인權力人에 간사하고 아첨 말며
빈천인貧賤人과 아랫사람 거만하게 경만輕慢 말라.
아래 사정 모른다면 윗사람이 못 될지요,
위의 뜻을 모른다면 성실하지 못할지라.

《실행론》3-1-3

14

제사祭祀 문제의 해법은 없을까요?

제사는 인류의 오랜 유산입니다. 농부는 풍작을 빌어 농경제를 지냈고, 비 오기를 염원하면서 기우제를 지냈으며, 뱃사람은 선박의 무사항해와 풍어를 기원하는 용왕제를 지냈었지요. 붓다 역시 제사를 부정하지는 않으셨습니다. 대대로 행하던 제사에 소홀함이 없었던 밧지국 사람들을 칭찬하신 일이《장아함경》에 기록되어 있거든요. 다만, 가축을 잡아 짐승의 피를 내어 귀신에 비는 비윤리적인 제사에 대해서는 그것을 옳지 못한 일이라고 못 박으셨어요.

목련존자의 어머니는 이러한 제사의 과보로 인해 아귀의 몸을 받아 심한 고초를 겪었다고 하지요. 그녀는 살아생전에 하인들을 시켜 짐승들을 많이 사오게 하여 양·돼지·오리·거위 따위를 달아매고 피를 내어 받게 했답니다. 집에서는 항상 짐승들의 울부짖는 비명소리가 그칠 날이 없었으며, 귀신에게 제사 지내고 남은 고기와 술을 먹고 놀이로 나날을 즐겼다는 거예요. 이러한 제사는 털끝만큼도 이익됨이 없고 오히려 죄업만 더욱 깊고 무겁게 할 뿐이어서, 잠시동안 자비심을 내는 것만 못하다고 붓다께서는 말씀하셨습니다.

오늘날 우리가 명절에 지내는 차례나 조상님이 돌아가신 날에 지내는 기제사는 가정을 중심으로 한 전통적인 유교의 제례의식이 대부분입니다. 짐승을 잡아 살생의 업을 짓는 제사는 현대에 와서는 거의 자취를 감추고 있지요. 하지만 또 다른 문제가 생겼어요. 세월에 등 떠밀리듯 바쁜 시절 인연을 타고 난 현대인들은 이제 일 년에 두어 번 지내는 제사조차 성가셔 한다는 겁니다. 근래에 들어 제사 준비의 수고로움과 현실적 불합리함을 토로하는 사람들이 부쩍 늘었거든요.

심지어 '인터넷 제사시스템'이라는 가상의 제사가 특허를 획득할 만큼 우리의 몸과 마음은 고단하고 빠듯해졌으며, 탈 가족화 또한 심해졌어요. 가상의 인물이 화면 속에서 지내는 가상의 제사를 가족들이 참관하기만 하면 된다는 건대요. 글쎄요, 그렇게 빈 쭉정이 같은 제사를 우리네 조상님들이 과연 달가워하실까요? 과학과 합리성의 잣대로만 제사를 저울질하는 현대인들의 단상은 씁쓸하기만 합니다. 개중에는, "정말로 조상님이 제사 음식을 드시는 거라면 일 년에 두어 번 올리는 제사 음식만으로 어떻게 사시겠느냐, 그럴 거면 차라리 매일같이 제사를 지내야 맞는 것 아니냐."는 비아냥도 있더라고요.

제사를 꺼리는 지금의 추세는 제사 자체에 문제가 있다기보다, 본래의 취지에서 벗어나 형식에 얽매이는데 그 심각성이 있습니다. 조상의 제사는 살아 계신 부모님께 효순하는 근본을 굳게 세우는데 목적이 있지요. 형식보다 정신이 중요하지 않을까요? 아무리 음식을 잘 차려 놓아도 가족, 친지간에 "잘했네", "못했네" 이간과 환란이 끊이지 않는다면 그 제사는 안 하느니 못 한 것이 됩니다. 제사상 차리는 정성 못지않게, 차린 상 앞에서 영전을 대하는 자손의 마음가짐과 참회는 더욱 중요한 법이지요.

시대의 변화에 따른 제사의 곤란함을 미리 내다보시고 각자가 사는 곳에서의 강도講度, 특별한 서원을 위해 행하는 진각종 고유의 불공법으로서 법신불의 설법을 받들고 실천하는 데 그 목적이 있다. 불사를 제안하셨던 진각성존 회당대종사의 말씀에 귀 기울여 봅니다.

> 옛날에는 이웃에 살아서 제사지내기가 쉬웠지만
> 지금은 넓게 흩어져서 살아야 크게 살게 되니 각자가
> 사는 곳에서 강도하는 것이 크다.
> 봉건시대는 대소친척이 한 동리에 살아서 잘되었고
> 산등성이 너머로 떨어져 살면 못되었다.
> 현시대는 각각 나눠 살아야 잘된다.
> 그러니 제사를 지낼 때라도
> 각각 그곳에서 강도를 하는 것이
> 조상도 복이 되고 자손도 복이 크다.
>
> 《실행론》 3-7-6

제2장

이웃과 사회

15

잘못된 것을 바로 잡으려면 어떻게 해야 할까요?

작은 성냥불이 결국에는 온 산을 태우듯이 처음에 작게 시작된 일이라도 크게 번지게 마련이지요. 말다툼은 대개는 사소한 문제를 놓고 반복적으로 트집을 잡는 식이어서 해결은커녕, 계속되면 논쟁 중에 격한 말들을 주고받게 됩니다. 이렇게 분별과 시비에 끄달리는 마음은 분노로 이어지고, 그로 인해 한 사람이 처음으로 낸 진심瞋心이 원인이 되어 주변사람들까지 모두 연루시켜버리는 위험한 일들이 우리 주변에 도사리고 있습니다.

근래 들어 층간소음으로 인한 이웃 간 시비가 폭발적으로 증가하고 있다지요. 가족 전체가 엘리베이터 안에서 난투극을 벌이는 건 약과이고, 방화를 하거나 돌발적 살인이라는 참극으로 끝을 맺었다는 삭막한 소식도 심심찮게 들려옵니다. 새로 시공하는 아파트 층간의 시멘트벽을 더 두껍게 한다고는 하지만, 이미 주택보급률이 100%가 넘은 상황에서 큰 의미가 없지 않을까요? 누군가 그러더군요. 층간소음을 해결하는 방법은 딱 두 가지 뿐이라고요. 하나는 빨리 이사를 가는 것이고, 또 하나는 윗집 아이들과 친해지는 거라나요?

그런가하면 얼마 전에는 한 고등학교 교사가 숙제를 안 해왔다는 이유로 열여섯 명의 학생들에게 80대씩의 체벌을 가해서 종아리 곳곳에 피멍이 들게 한 일도 있었어요. 옛날 어른들은 어린 자녀를 서당에 보낼 때 회초리를 할 나무를 구해서 훈장님께 드렸다고 해요. 그만큼 교육자의 권위도 서 있었고, 또 매를 통해 바르게 키울 수 있다고 생각했던 거지요. 하지만 지금은 시대가 다릅니다. 자식에 대한 부모의 애착이 너무나도 강하고, 또 교사의 권위도 추락할 대로 추락한지라, 잘못 체벌했다가는 도리어 삿대질 받기 일쑤거든요.

설령 아이가 잘못했다 하더라도 교사의 입장에서 체벌이 능사는 아닐 거예요. 체벌은 잘못된 행동을 고치기보다는 아이에게 수치심을 주고, 어른들에 대한 신뢰를 무너뜨리며, 가정과 학교의 양육 분위기를 망칩니다. 또한 교사 자신에게도 좋지 않은 영향을 미치게 돼요. 체벌의 효과에 맛 들린 교사는 체벌로만 학생들을 지도하려고 하며, 아무리 사랑의 매라 이름 붙여도, 체벌을 할 때 어쩔 수 없이 감정이 실리게 되어 있거든요. 그렇게 해서는 진정한 항복법降伏法이 될 수 없어요. 교육적 효과가 있으려면 겉으로 분노하더라도 내심에는 자비심이 있어야 하는데, 체벌은 아예 겉으로도 분노하고 내심으로도 분노하는 경우가 많잖아요.

파사破邪는 방편에 불과하고 현정顯正이 본래의 목적임을 알아야 합니다. 잘못된 것은 깨뜨릴 것이 아니라 바로잡아야 한다는 얘기지요. 체벌로 다스리면 두려워서라도 마지못해 잘못을 인정하겠지만, 희사와 참회로 다스린다면 자비심이 바탕이 되기 때문에 진심으로 반성하게 될 거예요. 적은 액수라도 차별희사어렵고 곤란한 일이 생겼을 때 수시로 희사하는 것을 말한다.를 실천하고 참회의 염송을 단 5분이라도 행한다면 문제가 있던 학생들의 태도에 분명한 변화가 생길 겁니다.

진각성존 회당대종사의 교육자에 대한 조언의 말씀에 귀 기울여 봅니다.

내 마음 속에 중생을 제도하면 상대가 제도된다.
남을 가르칠 때 잔소리와 매질로 할 것이 아니라
내 마음을 고치게 되면 상대도 바르게 된다.
남을 위해 희사한 과보가 크며 남을 복되게 하면
상대가 바르게 된다.

《실행론》5-5-5(나)

16 볼수록 싫은 사람이 있어 마음이 괴롭습니다

안중지정眼中之釘, 흔히 '눈엣가시'라고들 하지요? 정말 꼴도 보기 싫은 사람이 있는데 내가 그에게 맞춰야 하는 상황이 되면 누구나 스스로를 비굴하고 초라하게 느낍니다. 말 그대로 '내가 웃는 게 웃는 게 아닌' 거지요. 볼 수도, 안 볼 수도, 죽일 수도 살릴 수도 없는 원수로 만나 살아가는 원증회고怨憎會苦의 기막힌 인연이 이 말에 함축되어 있는 겁니다.

부부 사이도 마찬가지에요. 착하게만 보이던 아내의 토끼눈이 불시에 도끼눈으로 바뀌어 쌍심지를 켜기도 하잖아요. 분노가 치밀어 올라 상대를 찍어 넘어뜨리고 싶은 심정으로 달려들 듯이 노려보는 눈빛이 도끼눈 아닙니까? 심지어는 가슴을 치고 쥐어뜯고, 목을 늘였다 쪼그리면서 "너 죽고 나 죽자"는 식이니, 이 도끼눈에 안 다치려면 알아서 기든가, 아니면 최대한 안면에 철판을 까는 수밖에 없다나요, 뭐라나요.

중생세간의 특징 중 하나는, 아이러니하게도 이처럼 지중하고 가까운 인연일수록 원수로 살기 쉽다는 겁니다. 사랑은 미움의 씨앗이라고 했던가요? 길에서 마주친 사람과는 싸우지 않으면서 사랑하는 가족끼리는 허구한 날 싸우잖아요. 차라리 남이라면 끝을 내든 풀든 해결이 쉬울 텐데 혈연이란 질긴 인연은 애증을 동반하며 갈등의 골을 더 깊이 파게 하거든요. 하루 종일 마주 보아야 하고 밥도 같이 먹어야 하는 가까운 관계일수록 이토록 미움을 안고 살아야 하는 이유가 대체 뭘까요? 때로는 전생에 무슨 죄를 지었길래 이렇게 까다롭고 정나미 떨어지는 사람을 다 만났나 싶어 한숨만 푹푹 내쉬는 우리들. 무슨 애증의 업이 이리도 두터운 걸까요?

옛날에 같은 집에 소실을 두고 살던 차서방이라는 사람이 있었답니다. 하루는 소실이 밥상을 들고 들어와 밥을 먹는데 김치 맛이 좋더래요. 그래서 본부인을 불러 "앞으로 김치를 담그려면 이렇게 담그라"고 했다네요. 본부인은 하도 어이가 없어 "그것은 내가 담근 것이다"라고 하자, 차서방이 하는 말이 "그래서 뒷맛이 썼군" 하더랍니다.

사람 중에는 잘난 이도 있고 못난 이도 있으며, 꼴 보기 싫은 이도 있지요. 이 말을 뒤집어 보면, 상대는 잘났는데 내가 밉게 보는 이도 있고, 객관적으로 보면 못났는데 내가 예쁘게 보는 이도 있다는 말이에요. 차서방이 같은 김치를 먹고도 맛을 다르게 느낀 것은 소실의 예쁨과 본댁의 미움이라는 분별 때문이지, 김치 맛 자체가 달랐던 건 결코 아니에요. 이처럼 우리 중생들은 한번 사랑과 친근, 미움과 배타에 가리게 되면 분별심에 끄달려 업을 짓게 됩니다. 그래서 옛 성현의 말씀에 "좋아하되 그 허물을 알아야 하고, 미운 사람도 지금 그가 지은 착한 바를 알아야 한다."고 했던 것이지요.

진각성존 회당대종사의 말씀에 귀 기울여 봅니다.

인정이 곧 사정私情**되고 사정이 곧 외도되어**
널리 중생 사랑하는 그 성품性品**에 도적이라.**
정이 발전하게 되면 모든 사私**가 일어나고**
성품 발전하게 되면 공의公義**가 곧 일어난다.**

《실행론》4-3-1

호好·불호不好를 가리는 마음은 좋지 않습니다. 앞으로는 싫은 마음이 생겼을 때, 그 일과 사람을 싫어하지 말고 '싫다'고 분별하는 내 마음을 참회하는 삶을 사시기 바랍니다.

17

믿었던 사람에게 속아 배신감이 듭니다. 마음을 어떻게 다스려가야 할까요?

속은 엉큼하지만 겉으로는 순해 보이는 척 하는 것을 우리말로 '내숭'이라고 하지요. 말이나 행동으로 드러내면 "내숭을 떤다"라고 말합니다. 일본 사람들은 이 내숭을 떤다는 표현을 "네코오 카부루"라고 발음해요. 네코는 고양이(猫)를 뜻하고, 카부루(被る)는 덮는다는 의미거든요. 다시 말해 고양이를 얼굴에 뒤집어쓴다는 뜻이에요. 고양이를 겉과 속이 다른 동물로 여겼던 겁니다. 고양이는 평소에 "야아옹"하고 간드러지는 소리를 내지만, 화가 많이 났을 때는 거친 울음소리로 날카로운 발톱을 내보이며 본색을 드러내잖아요.

그런데 고양이가 겉과 속이 다릅니까, 인간이 더 겉과 속이 다릅니까? 당연히 인간이지요. 인간은 다른 이들 앞에서는 늘 초연한 척하지만, 그 마음속에는 세속적인 명예욕도 있고 욕심도 있어요. 또 남을 이기려는 마음과 경쟁심도 있습니다. 눈앞에 입을 쩍 벌린 호랑이가 세 마리나 있다 해도, 그보다 더 무서운 것이 겉 다르고 속 다른 인간의 마음이라고 하잖아요. 면전에서는 온화하고 부드러운 웃음을 지으며 꿀처럼 달콤한 말을 쏟아내지만, 자기가 불리해지면 금방 돌아선 상대를 향해 양설兩舌의 구업을 지어 해치려 하거든요.

오죽하면 옛말에 처음 만나는 사람한테는 이야기를 나누되 속마음은 3/10만 말하라고 했겠어요? 옛말이기 망정이지, 지금 같아서는 초면에 1/10이라도 과연 속마음을 털어놓을 수 있을까요? 모든 이들이 서로의 속마음을 내보이며 진실하게 살아간다면 얼마나 좋겠습니까? 그러나 중생은 속고 속이는 업을 되풀이 함으로써 늘 피해의식과 자기방어본능 때문에라도 서로를 믿고 살지 못하는 과보를 떠안고 있는 거예요. 갈수록 해킹에 스팸, 피싱, 스미싱 등등…… 뜻조차 제대로 파악하기 어려운 온라인상의 가상 금융 범죄가 치밀해지고 그 수법도 다양해지고 있기 때문에, 한편으로 우리는 더 좋은 기계를 쓰는 대신, 범죄에 역이용당할 수도 있다는 불안한 생각을 떨칠 수 없게 된 거잖아요.

신뢰할 수 있는 사회가 되려면 서로가 그럴듯하게 속이는 인연을 짓지 말아야 합니다. 그럴듯한 말에는 의외로 겉과 속이 다른 경우가 많아요. 닭고기를 파는 어느 상인이 저울을 검지로 살짝 누르면서 "손님, 만원입니다."라고 했대요. 그랬더니 손님이 대답하기를, "좋소, 그럼 만원을 드릴 테니 닭고기와 그 손가락을 주시오."라고 했다지 뭡니까! 거짓의 과보는 이렇게 무서운 거예요.

누군가에 속아서 마음이 씁쓸하고 괴로울 때, 우리는 그 인과를 어떻게 받아들이고 또 깨쳐야 할까요? 진각성존 회당대종사의 다음 말씀에 귀를 기울여 봅니다.

이 세상은 혼자 사는 것이 아니라
많은 사람들이 서로 인연을 맺고 살고 있는데

되도록이면 남의 비위를 거스르거나
마음을 괴롭히는 일은 하지 말아야 한다.
나쁜 것 속에서 좋은 것을 끌어낼 줄 알아야 한다.
탐심은 가족을 병들게 하고
진심은 자기를 병들게 한다.
상대방이 싸움을 걸어오거나
분노를 일으킬 말을 하거나
윗사람에게 꾸지람을 들을 때는
금강권으로 삼밀행을 하면 무사히 해결되며
순간적으로 달아오르는 분노가 가라앉고
화가 날 일이 없어진다.
속이는 사람을 원망하지 말고
속는 마음을 살펴보아야 한다.
자기 마음에 욕심이 있기 때문에
탐심으로 인해서 속는다.
속아서 죄 짓고 원망하여 죄를 더해간다.

《실행론》4-1-13

18

인간관계를 어떻게 이어가면 좋을까요?

밀교密教의 교주인 법신 비로자나부처님을 대일여래라고 하지요. '대일大日'은 삼라만상을 두루 비추는 큰 태양이라는 뜻이에요. 태양이 없다면 생명체가 존재할 수 없습니다. 그러나 설사 태양이 있다 하더라도 만약 지구와 적당한 거리를 유지하고 있지 않다면 어떻게 될까요? 두 행성이 당장이라도 달라붙을 듯이 아주 가까운 거리에 있다고 생각해 보세요. 화탕지옥이 따로 없겠지요. 또 반대로 아주 멀리 떨어져 있다면 어떨까요? 아마도 한빙지옥이 되어버릴 겁니다.

고슴도치가 겨울 추위를 이겨내는 방법을 통해 인간관계를 설명한 우화가 있습니다. 한 쌍의 고슴도치는 서로에게 가까이 다가가려 할수록 예리한 바늘에 찔려 깊은 상처를 입게 되지요. 그렇다고 해서 멀리 떨어져 지내면 추위를 감당해야 하기 때문에 아픈 줄 알면서도 서로에게 다가갈 수밖에 없는 거예요. 그래서 붙었다 떨어지기를 수차례 반복한 끝에 마침내 서로에게 상처를 주지 않고도 온기를 나눌 수 있는 이상적인 거리를 발견하게 된다는 겁니다.

인간관계도 마찬가지예요. 혼자 있으면 외롭고 그래서 너무 가까이 다가가면 불편해지는 게 중생에게 주어진 삶의 아이러니입니다. 그러니 나와 인연된 한 사람 한 사람을 마치 장작불 다루

듯 해야 해요. 너무 가까이 다가가면 따뜻하다 못해 뜨거워 잘못 하면 큰 화상을 입게 되지요. 반대로 또 너무 멀리하면 장작불의 존재가 있는지 없는지도 모르게 될 뿐더러 쌀쌀한 추위에 고스란히 노출되고 마는 거예요.

부부 사이나 부모 자식 간 관계가 그렇잖아요. 나와 잘 맞고 친근하던 사람도 오랜 시간 같이 있으면 지겨운 느낌과 구속감을 느끼게 됩니다. 또 반대로 평소에 미워하고 꺼리던 사람도 이유 없이 발길이 뜸해지면 괜히 소식이 궁금해지는 법이거든요. 그러니 좋고 싫은 감정을 추스르며 당장의 호불호好不好에 휘둘리지 않고 상대와의 심리적 거리를 유지하는 일은 인간관계에 있어 중도中道를 지키는 지혜로운 방편이기도 한 거예요.

최근 들어 20대 여성들은 회식이나 단체행사에 잘 빠지고 경조사를 등한시하는 경향이 있다고 합니다. 사실 황금 같은 주말을 남의 결혼식이나 돌잔치에 반납하는 게 탐탁지 않을 수도 있어요. 하지만 경조사를 돌아보는 것은 인간관계에 있어 매우 중요한 일입니다. 좋은 일보다 안 좋은 일이 생겼을 때는 특히나 그렇지요. 행여 결혼식은 못 가더라도 장례식은 반드시 가야 합니다. 사람에 대한 평가는 사소한 것이 쌓여서 형성되는 법이거든요.

인간관계의 거리 조절을 어떻게 하면 좋을지 진각성존 회당 대종사의 말씀을 되새겨 봅니다.

뿌리 깊고 시야가 넓은 가문의 우리 조상들은
멀어져 있는 것은 일부러 가까이하고
가까이 있는 것은 일부러 멀리 하는 법을 세우면
이익이 됨을 알았다.
정다운 사이에는 자주 오고가며
가까이하지 않는 법이 서 있었으며
금전을 주고받지 않는 법이 서 있었으며,
이익을 위해 서로 동업하지 않는 법이 서 있었으며
곤란해도 서로 의뢰하지 않는 법이 서 있었다.
그러나 길흉사와 같은 큰일과 좋은 명절에는
남다르게 오고 가며 가까이하여
도움을 주고받는 정이 끊어지지 않고 더욱 깊어졌다.
빈부귀천을 막론하고 누구라도
이 법을 세우지 않으면 현실로든 진리로든
머지않아 결국 쇠퇴해지고 멸망되었다.
이러한 법칙을 멀리 조상으로부터 경험하여
알고 왔기 때문에 일반인들의 풍속이 되었다.

《실행론》4-3-2(나)

19 착하면 피해보는 세상 아닌가요?

"사회생활을 잘 하려면 너무 착하기만 해서는 안 된다."

이 말을 곧잘 하잖아요. 왜 그럴까요? 말이 온순하고 행실이 너무 착하면 남에게 업신여김을 당한다고 생각하는 거지요. 또 자기는 죄 안 짓고 착하게 사는데, 그렇지 않은 사람이 더 앞서가는 것 같아 딜레마에 빠지는 거예요.

소위 '시媤 월드(?)'를 대하는 며느리의 마음도 예전 같지 않습니다. 시집간 며느리는 3년간 봉사, 귀머거리, 벙어리로 살아야 한다는 건 옛말이 된 지 오래예요. 요즘 대다수의 며느리들은 '착하면 당한다'고 생각하는 것 같더란 말이지요. 가만히 있으면 가마니로 알고 마구 퍼붓는 시어머니를 자기 인성으로는 감당할 수 없다고 대 놓고 토로하거든요.

38선, 사오정, 오륙도란 말, 들어보셨나요? 38선은 '38세에 순순히 퇴직을 받아들인다'는 뜻이고, 사오정은 '45세 정년퇴직'을 의미하며, 오륙도는 '56세까지 직장에 있으면 도둑'이라는 뜻이랍니다.

부쩍 안 좋아진 경기 탓에 한창 일할 남편이 직장에서 삐그덕거리고 불안하니 맞벌이는 기본이 되었어요. 일과 양육이라는 이중 부담을 떠안은 맞벌이 여성 입장에서는 사회생활 하면서 착하다는 건 일종의 사치이며 약점이라고 받아들이게 되는 것 같습니다. 자신의 스펙 쌓기와는 무관하게 남들이 던져주는 허드렛일까지 거절 못 하고 떠안게 되는 게 바로 그 착하다는 사람들이더라는 거지요.

그런데 한번 잘 생각해보세요. 자기표현을 잘 못하고, 남이 하자는 대로 다 하는, 한마디로 양보심이 지나치게 많은 사람은 착하긴 하되 어설프게 착한 사람이에요. 아닌 건 아니라고, 힘든 부분은 힘들다고 딱 잘라 말할 줄도 알아야겠지요. 이런 사람은 본인이 착해서 피해를 보는 게 아니라 거절해야 할 순간에도 "No!"를 외치지 못해 피해를 보는 겁니다. 한마디로 말해 자비롭긴 하지만 지혜롭지 못한 거예요.

연예인 윤문식 씨가 그러더군요. 귀신은 박복하게 찡그리고 있는 사람에게만 들러붙는다고요. 박복하면서 복을 구하는 것은 저축한 재산도 없으면서 호화롭게 살려는 것과 뭐가 다르겠어요? 선택의 여지가 있는데도 굳이 억지로 짐을 맡아 인상을 구길 바에야 이왕이면 좋은 일, 본인이 잘하는 일에 인연을 맺고 회향하시기 서원합니다.

진각성존 회당대종사의 말씀에 귀 기울여 봅니다.

사람의 마음은 언어와 동작과 형상으로 표현된다.
그리고 사람은 나날이 행복하게 되는 것을

싫어하지 않을 뿐 아니라 오히려 행복을 구하고 있다.
그러나 지혜 있는 사람이 보면
복되는 것을 구하면서도
그 형상도 행동도 언어도 바루지 않고 있다.
하루 동안의 실천은
하루 동안에 안락과 행복을 가져온다.

《실행론》2-7-8

20

입을 어떻게 다스려야 할까요?

몇 해 전 한반도 사드 배치 지역으로 '성주'가 급박하게 확정되면서 분노한 300여 성주 군민들이 서울에 위치한 국방부 청사를 항의 방문했었지요. 그 자리에서 국방부 장관을 대신하여 차관이 운을 떼기를

"진심으로 죄송하다는 말씀드리며,
상주에 같이 가려고 했는데……"

라는 발언을 했다가 '상주'와 '성주'도 구분 못 하느냐는 빗발 같은 질타를 받고는 뒷말을 잇지 못 한 채 자리를 내려온 적이 있었습니다.

우리 속담 중에 "아 다르고, 어 다르다."는 말이 있지요. 모음 하나 잘못 발음한 인연의 결과가 이렇게 무섭습니다. "남의 흠은 쭉정이를 골라내듯 찾아내지만, 자기 흠은 주사위 눈처럼 숨기려 한다"는 《법구경》의 말씀처럼, 사람들은 때때로 남의 허물을 찾아내는데 혈안이 되어 있는 듯해요. 특히나 이번 경우처럼 분노가 극에 달한 군중 앞에서는 두 말할 것도 없겠지요.

먹고 살려면 당연히 입이 있어야 하지만, 상대와 소통하고 살기 위해서라도 입이 절실합니다. 그런데 먹을 때만큼은 크게 입 조심할 일이 없지만, 소통하는데 있어서는 입을 신중하게 열고 닫아야 해요. 세 치 혀에서 나오는 말 한마디로 인해 꼬였던 일이 풀리거나 얼어붙은 인간관계가 녹을 수도 있지만, 반대로 말 한

마디 잘못 해서 남의 분노를 사거나 심지어는 삼대가 멸족된 역사도 있거든요. 예로부터 입을 화와 복이 드나드는 화복지문禍福之門이라고 하는 이유가 여기에 있는 겁니다.

예를 들어 직장인이라면 키가 작은 부장님 앞에서 "키가 어떻게 되세요? 귀여우세요."라고 말한다거나 결혼한 지 꽤 지났는데도 아이가 없는 팀장님에게 "슬슬 아기 만드셔야죠. 너무 형수님만 사랑하시는 거 아니세요?"라고 말한다면 아무리 직장생활을 잘 해왔다 한들, 그간의 노력이 도로아미타불되기 십상인 거예요. 상대를 통해 자신의 핸디캡이나 콤플렉스, 또는 기억하고 싶지 않은 이야기를 듣는 기분은 누구에게나 곤욕이 아닐 수 없겠지요.

가정에서도 마찬가지예요. 만약 아내에게서 "어머니와 내가 물에 빠졌을 때 누구부터 구할 거예요?"라는 질문을 받는다면 대답은 뭐라고 해야 할까요? 또는 거꾸로 어머니로부터 "나와 네 아내 중에 누구를 구할 거니?"라는 물음에 답해야 하는 상황에 처한다면 과연 뭐라고 대답해야 우문현답이 될까요? 정답은 '물어본 사람'이랍니다. 그래야 가정이 평화롭다는 거예요. 아내에게 대답 한번 잘못했다가 며칠을 들볶였는지를 생각하면 아직도 등골이 서늘하다는 남편이 한 둘이 아니라더군요.

말을 어떻게 하며 살아야 할지 진각성존 회당대종사의 말씀에 귀 기울여 봅니다.

말이 넘치는 것도 병이고
말해야 할 때에 말 안 하는 것도 병이다.
망어가 나쁜 줄만 알고
재앙의 근원이 되는 줄은 모른다.
좋은 말을 많이 하는 것보다
필요한 한마디 말을 해야 한다.
좋은 것이라도 많이 이야기하면
싫어하기 마련이다.

《실행론》4-1-11

21

왜 참고 살아야 하나요?

"눈코 뜰 새 없이 바쁘다."

우리는 평소에 이 말을 입에 달고 살거든요. 단거리를 순식간에 달려야 하는 건 우사인 볼트의 업장만은 아닌 모양이예요. 온갖 먹거리들이 풍부하게 쏟아져 나오지만, 정작 바빠서 밥 먹을 시간조차 없다는 거잖아요. 예전보다 수입도 많아지고 더 잘 먹고 편리하게 살게 되었지만 가장들의 사기는 떨어졌고, 자가용을 가진 이들도 많아졌고 지하철도 늘어났지만 사람들의 걸음은 더 빨라지고 성질은 급해졌어요.

사람이 길가에 있는 것을 알면서 바쁘게 차를 모는 바람에 물이 튀어서 옷을 버리고 얼굴에까지 묻게 하는 경우도 다반사입니다. 그 뿐인가요? 중학생, 심지어는 초등학생들까지 휴대폰을 들고 다니는 자유로운 세상이 되었지만 정작 가족 간의 대화는 단절되어 활기를 잃었어요. 인류는 외계의 달나라도 정복했지만 옆에 사는 이웃 만나기는 더욱 힘들어졌습니다. 그만큼 우리는 하늘 한 번 제대로 올려다 볼 마음의 여유도 없이 하루하루를 살아가고 있는 거예요.

각박한 세상에서 고달픈 영혼을 위한 휴식처는 '서로를 이해하는 관계의 품'뿐입니다. 사람들은 그런 관계의 완성으로서의 '가족'과 '직장'을 꿈꾸기 마련이지요. 그러나 우리 사회는 지금 어떻습니까? 사회적 강자가 상대적 약자에게 부리는 '갑질'로 인해 소위 '감정노동' 종사자들의 고통이 극에 달하고 있어요. 심지어 아파트 주거민들의 노골적인 무시나 열악한 처우로 인해, 강남의 고급 아파트 경비원이 분신해 사망한 일도 있었지요. 당시 동료 경비원들은 이씨가 분신한 이유로 한 사모님을 지목하며 "평소에 폭언을 하면서 5층에서 떡을 던지거나 먹던 과자를 먹으라고 하는 등 경비원들에게 모멸감을 줬다."고 전한 바 있습니다. 이렇게 우리 사회의 외로운 그늘 속에서 쓸쓸히 '감정노동'에 종사하며 하루하루를 근근이 살아가는 이들이 적지 않다고 해요.

많은 감정노동자들이 소화기관의 고통을 자주 호소하는데 그 이유는 '속상해 죽겠다', '속이 뒤집힌다', '비위脾胃, 비장과 위장가 상한다', '밥맛 떨어진다', '구역질 난다' 등과 같은 부정적 감정 상태를 자주 접하기 때문이랍니다. 감정노동이 힘겨운 이유는 종종 찾아드는 무례하기 짝이 없는 '진상 고객들'이 차마 눈 뜨고 봐주기 어려운 꼴불견 행태를 보이기 때문인데요, 한 마디로 배려를 모르는 거지요. 이들로 인해 자존심이 상하고 분노가 치밀지만 그것을 내색하지 못하고 수용해야만 하는 처지를 견디기 어려운 거예요. 고객의 눈에 보이는 얼굴 표정이나 몸짓을 애써 만들어내다 보니 그야말로 '웃어도 웃는 게 아닌' 처참한 순간이 한두 번이 아니라는 겁니다. 그러니 속을 끓이며 참는 하근기 인욕忍辱 수준은 힘겹게 유지하더라도, 모든 상황을 편안하게 수용하는 안인행安忍行이 쉽지 않더라는 거예요.

무턱대고 참는 것과 참아야 하는 이유를 알고 참는 것에는 큰 차이가 있겠지요. 이유를 잘 알고 참아야 편안한 '참음'이 됩니다. 왜 참아야 하고, 또 어떻게 참아야 할지, 진각성존 회당대종사의 가르침에 귀 기울여 봅니다.

> 참된 인욕행은 인생 행복의 근본이 된다.
> 참고 견디는 길이 자기 영혼을 보존하는 길이다.
> 농사짓는 농부가 여름에 밭에 나가지 아니하고
> 집에서 낮잠을 자면 가을에 좋은 결실을 얻을 수 없다.
> 이와 같이 마음농사 짓는 것도 게으르면 안 된다.
> 어려운 고행을 왜 해야 하는가?
> 나쁜 것을 몰아내고 좋은 법을 실천하기 위함이다.
> 욕하는 사람은 욕을 하지 말고 참아야 하며,
> 투도하는 사람은 투도하지 말고 참아야 하며,
> 남을 경만하는 자는 경만함을 참아야 한다.
> 우치하고 미련하고 게으르고 삿된 것을
> 모두 몰아내면 곡식 곁에 난 풀을 뽑아
> 그 곡식이 잘되게 하듯이
> 선善이 그 자리에 자라나게 된다.

《실행론》4-4-3

22

양심을 지켜나가려면 어떻게 해야 할까요?

추운 겨울, 한 보살님이 오랜만에 옷 정리를 하다가 우연히 빨간 목도리를 발견하고는 룰루랄라 목에 두르고 외출을 했대요. 그런데 버스를 타도, 거리를 걸어도 자꾸만 사람들이 자기를 쳐다보는 것 같더라는 거예요. 왠지 목도리가 신경이 쓰여 다시 확인해보니 아뿔싸, 목도리가 아니라 피아노 덮개였던 겁니다. 새끼줄을 보고 뱀으로 착각한 꼴이라고나 할까요? 이처럼 사람의 감각 중에 가장 믿을 수 있는 게 눈이지만, 사람을 가장 많이 속이는 것 역시 눈이랍니다. 가장 믿을 수 있는 게 자신이지만, 또 자신을 가장 많이 속이는 것도 자신이듯 말이지요.

물질시대, 소비시대에 접어들면서 기업을 상대로 부당한 이익을 취하려고 제품을 구매한 뒤에 고의적으로 악성 민원을 제기하는 '블랙컨슈머'가 자주 화제가 되고 있습니다. 얼마 전에는 쌀과자에 벌레를 일부러 집어넣고 회사에 전화해서는 10만원만 주면 더 이상 일을 크게 만들지 않겠다고 일종의 협박을 해서 돈을 뜯어낸 30대가 덜미를 잡혔었지요. 동일 수법으로 여러 차례에 걸쳐 영세업체에 공갈과 협박을 일삼았는데, 80~90%는 대부분 요구한 돈을 송금해줬다는군요. 이렇게 해서 300여 중소업체를 속여 모은 돈이 5개월 만에 자그마치 3천 5백만 원이었다고 해요. 거미라든가 심지어 구더기까지, 식품에 넣을 벌레를 일부러 모았다고 하니, 정말 돈 버는 방법도 가지가지입니다. 진상도 이런 진상이

다 있을까요?

80년대까지만 해도 상스럽고 막된 일을 하는 사람을 '상놈'이라고 비난했습니다. 그러던 것이 '쌍놈'이라는 된소리 발음으로 바뀌면서 경멸은 더 심해졌지요. '쌍놈'은 들으면 굉장히 기분 나쁜 욕 중 하나였어요. 그런데 어느 순간부터 술집에서 손님을 접대하던 여성들이 일부 상스런 손님들에게 '진짜 상놈'이란 욕을 줄여 자기들끼리 '진상'이라 부르기 시작했던 거지요. 자기 돈벌이를 위해 남이야 구더기를 먹든 말든 아랑곳 않는 그 인성이야말로 딱 '진상'에 알맞은 수준이 아니고 뭐겠어요.

유한양행의 설립자 유일한 회장은 기업인의 양심을 대표하는 존경스런 인물로 만인의 가슴에 남아 있습니다. 안양 공장에서 약의 생산 과정을 둘러보던 그는 공장장을 불러 이것저것 물어보더니 갑자기 얼굴을 찌푸리며 약의 성분을 하나하나 점검하는 것이었지요. 그리고는 얼마 후 약품의 생산 자체를 중단하겠다고 공개적으로 선언합니다. 그리고는 지금까지 만든 약은 빠짐없이 공장 빈터로 가져오라고 지시했어요. 직원들이 분주히 약 상자를 나르는 것을 지켜본 그는 성큼성큼 빈터로 걸어 나가더니 다음과 같이 말했습니다.

"지금 우리가 만든 이 약에는 들어가야 할 성분 하나가 빠져 있습니다. 비록 빠진 것이 하나이긴 하지만 저는 한 사람의 생명을 살리는 데 그것이 꼭 들어가야 하는 성분이라고 생각합니다.

그래서 저는 이 약을 모두 태워 없애려고 합니다."

결국 막대한 손해를 무릅쓰고 수백만 개의 약을 직접 불태웠고 직원들은 안타까운 마음에 발을 동동 굴렀습니다.

돈 몇 푼에 신뢰와 양심을 져버리고 회사의 중요한 정보를 경쟁사에 팔아넘기는 요즘 세태에, 유 회장이 보여준 과감하고도 양심적인 결정은 시사하는 바가 큽니다. 양심을 지키기 위해 어떤 실천이 필요할지, 진각성존 회당대종사의 말씀에 귀 기울여 봅니다.

> **과거에는 물物을 천대하고 양심을 세웠고**
> **지금은 양심을 팔아서 물物을 사고 있다.**
> **그러므로 양심을 세우기 위해서는**
> **심공**心工, 인격 완성을 위한 마음 공부를 말한다.**을 해야 한다.**
>
> 《실행론》3-4-16

23

공과 사의 구분, 어떻게 실천해야 할까요?

어떤 경찰관에게 쌍둥이 아들이 있었는데, 공부를 하도 못해서 기말고사 성적이 안 좋게 나왔어요. 아버지에게 불려가 먼저 성적표를 보여준 형은 심한 꾸중과 함께 회초리를 맞았습니다. 그리고 엉엉 울면서 방에서 나왔지요.

이번에는 동생 차례였어요. 아버지는 동생의 성적표를 보더니 이렇게 말했습니다.

"다음번에는 더 잘하도록 노력해라."

그게 끝이었어요. 동생이 멀쩡한 모습으로 방에서 나오자 형이 동생에게 물었지요.

"넌 어떻게 했기에 나하고 똑같은 점수를 받고도안 맞았냐?"

그러자 동생은 말했습니다.

"성적표에 지폐 한 장을 슬쩍 얹어서 줬거든."

만담에 불과하지만, 자식에게서까지 뇌물을 받는 경찰관이라고 하는 발상 자체를 놓고 보면, 결코 웃을 일만은 아닌 듯합니다. 우리 주변에는 공과 사를 분명하게 구분하지 않고 정이나 물질에 이끌려 일을 처리하는 경우가 종종 있거든요. 언제가 한 번은 지방에 일이 있어서 차를 몰고 고속도로를 가다가 휴게소에 잠깐 들렀어요. 그런데 차에서 내리자마자 어떤 사람이 다가오더니 꿀이 있는데 안 필요하냐고 묻는 겁니다. 그래서 자초지종을 물었더니 자기가 꿀을 몇 상자 가지고 있는데 반값으로 빨리 처분을 하고 있다는 거였어요. 요즘은 모르는 전화가 와도 안 받는 시대인데, 뜬금없이 낯선 사람이 다가와서 다짜고짜 흥정을 해오니 기분이 썩 유쾌하지는 않더라고요. 꿀이 필요하면 제값 주고 사 먹으면 될 일인데 판을 펼쳐 놓고 장사를 하는 것도 아니고 왜 슬그머니 와서는 귓속말하듯이 물건을 팔려 하는 거냐 말이지요. 얼굴을 보니 뭔가 떳떳한 표정이 아니더라고요. 자기 물건이 아니라 어디에서 빼돌린 물건을 파는 것 같은 느낌이 들었어요. 극구 사양하며 제 갈 길을 갔더니, 반값을 줘도 안 산다며 투덜투덜하며 사라지더라고요. 마음속으로 차별희사를 하고 탐심 인연을 참회했어요. 부처님이 "네 마음 한 번 들여다보라"면서 일부러 보내신 교령륜신敎令輪身, 분노의 형상을 보여 교화하기 어려운 중생을 절복시킨다는 밀교의 명왕 같더라고요. 아니나 다를까, 돌아보니 당시 제 마음에 탐심 인연 지어 놓은 것이 있었습니다.

"인정人情이 곧 사정私情 된다."고 하셨던 진각성존 회당대종사의 말씀을 깊이 새겨 봐야겠습니다. 우리는 "한 번만 사정을 봐달라."는 표현을 종종 씁니다. 이 말은 비록 자기가 잘못은 범했지만 상황이 어쩔 수 없었으니 용서해 달라는 의미를 담고 있지요. 심지어 음주운전을 하다가 적발된 상황에서도 운전자가 인정에 호소하는 전략으로 나오면 교통경찰이 용서해주는 사례가 적지 않다고 합니다. 그래서 어떤 운전자들은 아예 상모를 차에 놓고 다니다가 음주 단속에 적발되면 자신이 상주라서 몇 잔 마셨다고 눈물을 흘리면서 "한 번만 사정을 봐 달라."고 호소하는 웃지 못 할 촌극을 연출하고 있답니다.

선거철만 되면, 후보자들은 표심을 얻기 위해 저마다 분주한 노력을 펼칩니다. 인정과 외도外道로 인해 국가적인 혼란을 초래했던 최근의 뼈아픈 역사를 교훈 삼아, 앞으로는 정보다는 '성품性品'의 바탕 위에 서서 나랏일을 묵묵히 할 수 있는 리더를 선출해야겠습니다.

세간 모든 사람들은 권세로나 인정으로 도와주는
그것만이 복 되는 줄 알지만,
깨친 자는 인과로써 그 이치를 증득함이
먼저 크게 이익 됨을 지혜로써 알게 된다.

《실행론》4-10-3

24

진정한 배려란 어떤 것입니까?

한 주부가 마트에서 수박을 노크하듯 통통거려보더니 남편에게 가장 밑바닥에 있는 수박을 꺼내달라고 얘기합니다. 서둘러 그물을 씌워 카트에 담으며 남편이 하는 말,

> "이렇게 잘 익은 수박을 사버리면, 누군가는 우리 때문에 덜 익은 수박을 먹게 되겠군."

옆에서 무심코 듣던 제 마음에 화두가 되어 안겨든 말이었습니다. 뭐든지 먼저 고르는 사람이 임자라는 '복불복'식 구매에 익숙하던 저에게, 이 말은 신선한 충격으로 다가왔지요.

일본 작가 미우라 아야코가 구멍가게를 열었을 때, 자신의 가게는 번창했지만 옆집 가게들은 장사가 안 된다고 아우성이었답니다. 그때 그녀는 남편과 합의 끝에 가게를 줄이기로 결정했어요. 그 이유는 '자신들의 가게가 잘되는 것이 옆 가게들을 망하게 하는 것인 줄 몰랐다는 것'이었지요. 그녀는 가게를 축소하고 찾아오는 손님들을 옆 가게로 보냈습니다. 그로 인해 평소보다 시간이 남게 되었고 묵상하는 시간이 길어져 글을 쓰기 시작했는데 그 글이 바로 유명한《빙점》이라는 소설입니다.

'배려'에 관한 얘기를 쓰다 보니, 어느 노스님의 얘기가 떠오르네요. 이 스님은 몇 십 년을 힘들게 모아서 마침내 논 열 마지

기를 소유하게 되었습니다. 그런데 얼마 안 되어 다시 열 마지기의 논을 다 팔아버렸어요. 그리고 그 돈으로 야산을 사서 개간하여 논을 만들었지요. 그러나 인부를 사서 땅을 파고 돌을 캐다 둑을 쌓는데 워낙 많은 돈이 들었기 때문에 열 마지기의 논을 판 돈으로 겨우 다섯 마지기의 논 밖에 개간하지 못했습니다. 말하자면 열 마지기 논을 팔아서 다섯 마지기 논을 가지게 되었으니 다섯 마지기를 손해 본 셈이었지요. 그러나 노스님은 희색이 가득한 얼굴로 대중들에게 이렇게 말하는 것이었습니다.

"올해는 논 다섯 마지기 벌었다. 참으로 기쁜 해이다."

이 말을 들은 대중들은 어이가 없다는 듯, 그 노장을 뻔히 쳐다보며 핀잔을 주었습니다.

"스님도 참 딱하십니다. 다섯 마지기 손해 보신 것이지, 어떻게 다섯 마지기 벌었다는 것입니까?"

대중들은 그 소리에 모두 웃었습니다. 노장은 대중들의 말을 듣고 이렇게 대답했습니다.

"잘 들어라. 처음 논 열 마지기는 아랫마을 김서방이 사서 농사를 잘 짓고 있으니 좋은 일이고, 이 윗마을 야산에는 전에는 없던 다섯 마지기의 논을 새로 얻었으니 좋은 일이다. 이걸 전체로 보면 논 다섯 마지기를 번 것이 아니고 무엇이냐?"

대중들은 노스님의 이 말에 아무런 대답을 하지 못했습니다. 이전의 열 마지기는 그 주인이 누가 되었든지 간에 농사를 계속 지으면 되는 것이고, 새로 개간한 논은 가난한 농민들에게 그만큼 양식을 더해 주는 것이므로 그것으로 족하다는 것이었습니다. 노벨경제학상을 받은 한 학자는, 자기 이익을 최대화하는 데만 몰두하는 경제적 인간을 가리켜 '합리적 바보rational fool'라고 지칭한 바 있습니다. 합리적 바보가 되지 않는 비책, 간단해요. 세상에는 '나'도 있지만 '남'도 있다는 평범한 사실을 빨리 알아차리고 이 노스님처럼 역지사지의 작은 배려를 몸소 실천하는 것이지요. 요즘 '대박, 대박'하는데, 이 대박이란 것도 사실 알고 보면 누군가의 쪽박이 있어야 대박이 되는 것 아니겠어요? 탐심과 아상에 가려져 물불을 가리지 않는 '대박' 대신, 하루빨리 예전의 '소박'을 되찾아야겠습니다.

【문】미혹한 사람의 중생상衆生相은 무엇입니까?
【답】좋은 것은 내가 하고 나쁜 것은 다른 사람에게 베푸는 것입니다.

《실행론》3-13-4

25

국제사회에 테러가 심각합니다. 어떻게 받아들여야 하나요?

최근 몇 년 사이에 잦은 테러로 인한 공포가 국제사회에 엄습하고 있습니다. 사람은 많은 생生으로 태어나면서 부모 자식 관계가 아닌 사람이 없다고 불가佛家에서는 말합니다. 우리는 '눈에는 눈, 이에는 이'라는 보복과 응징을 따지기 이전에, 스스로의 인과를 살펴 허물을 참회하고 선업을 지어 가는 마음으로 살아야 합니다. 그 길만이 원망과 대립을 떨치고, 테러와 전쟁에서 벗어날 수 있습니다.

미국을 보십시오. 경제적으로는 그 어떤 나라도 따라잡기 힘든 부강한 국가입니다. 하지만 한 번 생각해 보세요. 경제적으로 잘 살 수 있는 나라일지는 몰라도, 심리적으로 마음 편히 살 수 있는 나라는 절대 아닙니다. 잊혀질만하면 발생하는 총기 난사 사고……. 2015년 기준으로 교통사고 사망자 수보다 총기 사고 사망자 수가 늘어날 것으로 전망되고 있습니다. 매일같이 미국인 85명이 총기로 사망하고 있는 꼴이라니 이 얼마나 심각한 일입니까?

테러는 또 어떻습니까? 미국에서 일어나는 테러 사건 복구 연간 예산이 130조에 육박한다고 합니다. 테러에는 생명에 대한 존엄이 없습니다. 보복과 응징에 있어 가장 모순된 표현 방법이고 생사윤회의 불에 기름을 끼얹는 행위가 바로 테러인 거예요.

911 테러로 인해 이슬람 원리주의자 입장에서는 자존심을 찾아 축제 분위기가 되었고, 미국은 반대로 분노의 도가니가 되었습니다. 하지만 어떠한 테러도, 무고하게 죽어 간 사람들의 피해를 정당하게 설명할 수는 없는 겁니다.

911 당시 붕괴된 건물 속에는 평생을 공부해서 세계에서 내로라하는 5만 명의 천재들이 근무하고 있었고, 15만 명 이상이 그 건물에 매일같이 출입하고 있었는데, 다들 한날한시에 이유도 모른 채 그야말로 찰나에 목숨을 잃은 겁니다. 붕괴된 건물 속에서 핸드폰으로 가족에게 전화를 걸어 했던 마지막 말은 대부분 "사랑한다", "미안했다"였답니다. 놀란 부모 형제의 마음이 얼마나 안타깝고 한스러웠겠습니까?

붕괴된 건물은 전체 면적의 2/3가 먼지로 변해 허공 속에 사라졌습니다. 복구 현장에서는 거대한 화염 속에서 콩가루처럼 먼지가 되어 100층에서 고공낙하한 여러 시체들이 발견되었지만, 팔다리만 남아 있어 누구인지 분별할 수도 없었다고 합니다. 타지 않고 남은 소지품들도 주인을 알 수 없어 무의미했습니다. 정말이지 지옥이 따로 없습니다.

불교에서 말하는 인과법에 의하면, 우리 중생들의 모든 미래는 과거의 원인과 현재의 인연으로 인해 일어난다고 합니다. 그런데 과거의 원인이 어떻든 간에 현재의 인연을 올바르게 지어

놓으면 생사윤회의 고통을 받지 않는다고 합니다. 반대로 원망과 원한으로 응징과 보복을 일삼게 되면 윤회의 고통은 끝이 없습니다. 저마다의 원한을 자기 마음의 허물로 보고 마음에서 비우고 참회하면 윤회의 굴레에서 벗어나 원한을 다 갚은 것이 되는 겁니다.

진각성존 회당대종사의 말씀에 귀 기울여 봅니다.

새벽이 되면 닭이 운다.
닭이 울어서 새벽이 되었다 하지만
닭이 울지 않아도 새벽은 온다.
상대방이 나에게 악한 짓을 하더라도
나는 그를 악으로 대하지 말고 선으로 대하라.
누가 내게 욕을 하고 꾸짖더라도
나는 그 욕을 받지 않으면 그만이니
탐진치에 의해 화를 내거나
복수할 마음을 일으키지 말아야 한다.

《실행론》4-10-8

26

무한 경쟁 시대,
앞서가는 것만이 능사인가요?

《백유경》에 이런 얘기가 나옵니다. 옛날에 아주 부유한 장자長者가 있었습니다. 하인들은 그의 환심을 사기 위해 열을 올렸어요. 그는 가래침을 뱉는 버릇이 있었는데, 침을 뱉으면 좌우에서 하인들이 앞 다투어 그 가래침을 밟아 없애는 것이었습니다.

그런데 한 어리석은 하인은 동작이 느려 가래침을 밟을 기회를 얻지 못했어요. 그것을 안타깝게 여긴 그는 궁리 끝에 생각을 짜냈습니다.

'주인님이 가래침을 일단 뱉게 되면 딴 사람이 밟아 버린다. 그러니 나는 가래침을 뱉기 전에 선수를 치자…….'

이렇게 생각한 하인은 장자의 입에서 잠시도 시선을 때지 않았습니다. 그런 그에게 마침내 기회가 왔어요. 장자가 가래침을 뱉으려 컥컥 하며 가래를 돋우고 있었습니다.

'기회는 이 때다……!'

그 하인은 재빨리 다리를 번쩍 들어 올려 입에서 떨어지는 가래침을 밟으려고 했습니다. 아뿔싸, 그런데 발에 힘이 너무 들어가 그만 주인의 입을 걷어차고 말았어요.

"어이쿠!"

장자는 비명을 지르며 입을 움켜쥐었습니다. 입술이 터져 붉은 피가 줄줄 흐르고 이까지 부러졌어요. 화가 머리끝까지 치민 그가 벼락 치듯 호통을 쳤습니다.

"이 무엄한 놈! 감히 네놈이 나한테 무슨 원한이 이리 크기에 입을 걷어찬단 말이냐?"

하인은 어찌할 바를 몰라 두 손을 싹싹 비비며 말했습니다.

"주인님의 침이 입에서 나와 땅에 떨어지기만 하면 주위에 아첨하는 사람들이 먼저 밟아 뭉갭니다. 저는 아무리 밟으려 노력해도 늘 차례를 빼앗기곤 했습니다. 그래서 주인님의 침이 막 입에서 나오려하기에 다리를 들어 먼저 밟아 주인님의 환심을 사려고 했던 것입니다. 용서해 주십시오."

"……."

장자는 어이가 없어 할 말을 잊고 말았습니다.

너무 앞서 나가는 것도 좋지 않습니다. 남들이 놀 때 나도 놀고, 남들 일할 때 나도 일을 해야지, 반대로 남들 다 노는데 혼자 일한답시고 땀 흘리고, 또 남들은 다 일하는데 혼자 딴 짓을 한다면 결코 현명한 인생을 사는 게 아니겠지요. 예로부터 우리 조상들은 철계절이 바뀐 줄 모르는 이를 '철부지'라고 불렀어요. 철을 모른다는 것은 지금이 어느 때인지, 또 무엇을 해야 할 때인지를 모른다는 뜻입니다. 농부라면 지금이 씨를 뿌려야 할 때인지 추수를 해야 할 때인지를 알아야 하고, 학생이라면 지금이 놀 때인지 시험공부를 해야 할 때인지 알아야겠지요.

진각성존 회당대종사의 법어 중에 이런 말씀이 있습니다.

지혜 있는 선지식은 시대와 때를 알아 선악을 행한다.

《실행론》4-4-1

진언행자들은 특히 '마음의 때'를 잘 살펴야 합니다. 삼독의 늪에 빠지는 순간, 마음은 한 없이 어둡고 부정적으로 바뀌어 버리거든요. 육자진언 염송으로 본래의 밝은 마음자리로 돌아가 내 인생에 있어 지금 과연 무엇을 할 때인지 곰곰이 성찰해 볼 필요가 있겠습니다.

27

빌려준 물건을 돌려받지 못해 화가 납니다

어찌 보면 인생은 끊임없는 '주고받음'의 연속입니다. 꼭 금전적인 도움만 있는 게 아니에요. '무재칠시無財七施'의 가르침이 있듯이 말로, 마음으로, 행동으로 서로가 서로에게 도움을 주고받으며 사는 게 바로 우리들입니다. 이러한 '주고받음'이 많아질수록 사람 사이의 관계는 돈독해지고 정도 더 깊어집니다. 무엇을 주고받았는지가 중요한 게 아니에요. 그것이 무엇이든 간에, 서로 오고 간 것이 있었다는 사실 자체만으로 인연은 아주 특별하고 따뜻해지기 마련입니다.

인간의 최고 발명품은 과연 뭘까요? 그것은 바로 '남을 사랑하는 마음'이라고 합니다. 우리가 흔히 쓰는 일회용 반창고는 미국의 어얼 덕슨이라는 사람이 발명했어요. 아내가 요리를 하다가 칼에 손을 베는 일이 많아서 궁리 끝에 외과 치료용 거즈로 실험을 반복한 결과 오늘날의 반창고가 탄생했다는 거예요. 그러면 실내화는 어떻게 만들어졌을까요? 막 걸음마를 시작한 손자가 양말 때문에 자주 미끄러지는 게 안타까웠던 마츠이라는 이름의 일본 할머니가 손수 만든 것이 실내화라고 합니다. 또 재봉틀은 밤에 잠도 자지 않고 바느질을 하는 아내의 모습을 안타까워하던 일라이어스 하우라는 사람에 의해 만들어졌으며, 주름진 빨대는 병실에 누운 아들이 우유를 먹으려고 힘겹게 몸을 세우는 것을 안타까워한 일본의 어느 부인에 의해 처음으로 개발이 되었다고 해요.

이러한 많은 발명품들의 공통점은, 그 물건들이 사랑하는 이를 생각하는 마음에서 비롯되었다는 겁니다. 바꿔 말하자면, 남을 사랑하는 마음이야말로 인간이 만든 지상 최고의 발명품인 거예요. 여기에는 사랑하는 사람이 좀 더 편안하고 행복하게 살기를 원하는 이들의 간절한 서원이 담겨 있는 겁니다.

자기 참회와 자비심 없이 남의 허물만 따지는 사람은 결국에는 주위 인연이 다 도망가게 되어 있어요. 반대로 누구나 좋아하고 따르는 사람은 그만한 이유가 있는 거겠지요. 그들은 항상 남을 먼저 배려하고 자기 것을 많이 베풀기 때문에 주위에 선지식이 끊이질 않습니다.

다산 정약용 선생의 어록에 재물을 숨겨두는 방법에 대한 언급이 있는데, 그 내용이 매우 참신합니다.

무릇 재물을 비밀스레 간직하는 것은 베풂만 한 것이 없다. 형상을 갖춘 것은 쓰면 닳아 없어지지니, 내 재물로 어려운 사람을 도우면 흔적 없이 사라질 재물이 받은 사람의 마음과 내 마음에 깊이 새겨져 변치 않을 보석이 된다.

만약 다른 사람을 도와주고 그것을 언젠가는 돌려받아야겠다는 마음이 남아 있다면 그것은 진정으로 도와준 것이 아니랍니다. 준다는 것은 받을 것을 생각하지 않는 것이고, 준 것을 내 마음대로 다시 돌려받지 않을 때 진정으로 준 것이 된다는 거지요.

참 베풂이란 어떤 것인지, 진각성존 회당대종사의 말씀에 귀 기울여 봅니다.

> 아름다운 꽃들은 형태와 빛과 향기를 베풀어서
> 우리들을 항상 즐겁게 해 주고
> 제각기 그 개성에 따라 힘껏 아름다움을 다하며
> 옆의 꽃이 더 아름답고 향기롭다고 해서
> 시기하거나 질투하는 일도 없다.
> 식識이 없는 것 같으면서도
> 철따라 지고 다시 철을 찾아 피어나곤 한다.
>
> 《실행론》3-2-2

28

인연을 어떻게 지어나가야 할까요?

인연이란 참 묘합니다. 흔히 '한 눈에 반했다'는 말을 하잖아요? 이성끼리 서로에게 호감이라는 마음이 자리 잡게 되면 사랑도 일사천리로 진행이 되지요. 그러나 그 좋던 인연이 틀어질 때는 또 어떻습니까? '갑자기 하늘이 노랗다', '억장이 무너진다'는 말을 하듯이, 틀어지는 순간도 역시 찰나거든요. 이렇게 인연이 맺어지거나 틀어지는 건 정말이지 눈 깜짝할 사이에 이뤄져 버립니다.

그러나 만남과 이별의 순간은 잠깐이지만, 그 사람에 대한 추억이나 연민, 원망과 분노는 긴 세월을 두고 자꾸 생각나고, 돌아보고, 되새김질하게 되거든요. 그러니 정작 중요한 건 바로 만남과 이별 사이에 놓인 그 모든 과정이 아닐 수 없습니다. 그래서 많은 이들이 인연을 소중히 꾸려 나갈 필요가 있다고 입을 모으는 거예요.

경북 상주의 '누렁이'라는 황소는 평소 자신을 아껴주던 이웃집 할머니가 세상을 떠나자 정을 못 잊어 묘소와 빈소를 찾은 사실이 알려지면서 마을회관 앞에는 '의로운 소'의 비석이 세워졌고 동화책으로도 소개가 되었습니다. 하찮은 미물도 이렇게 인연을 소중히 여기는데 하물며 사람이라면 좋은 인연을 지어나갈 줄 알아야겠지요.

그런데 사람이 살아가는 데에는 선연을 맺는 것 못지않게, 악연을 풀어내는 것 역시 무척 중요한 문제가 됩니다. 인연을 한 번 잘못 만들면 그걸 푸는 데만도 긴 시간이 소요되잖아요. 엉킨 실타래를 푸는 것도 만만치 않은데 사람 관계는 더욱 복잡하겠지요. 그렇다고 해서 인연의 주인공으로 살아야지, 쉽게 인연을 끊거나 피해 다니는 삶을 살아서는 안 됩니다.

그리고 마음으로 늘 좋은 인연 짓기를 서원해야 합니다. 행여나 별 뜻 없이 "죽겠다, 미치겠다, 돌겠다, 답답하다……." 하고 자꾸 구업을 쌓게 되면, 정말 그런 인연으로 가까이 다가가는 업의 종자를 뿌리는 셈이에요. 특히 현대는 물질사회인지라, 우리는 남들보다 물질적으로 풍족하지 못한 경우에 '빈곤'이라고 하는 고통에 유독 민감합니다. 자금이 융통되다 막혀버리면 속된 말로 "돌아가시겠네!"라고 가슴을 치며 구업을 짓곤 하잖아요.

하루 착한 일을 했다고 복이 곧 오지는 않지만 화는 저절로 멀어집니다. 또 하루 나쁜 일을 했다고 화가 곧 오지는 않지만 복은 저절로 멀어지게 되어 있어요. 착한 일을 하는 사람은 마치 정원에 자라는 풀처럼, 복이 자라는 것이 보이지는 않지만 실제로는 매일 자라고 있는 것과 같아요. 반면에 나쁜 일을 하는 사람은 칼을 가는 숫돌처럼, 복이 닳아 없어지는 것이 보이지는 않지만 실제로는 매일 줄어드는 것과 같은 이치인 거예요.

인연을 어떻게 지어나가야 할지, 진각성존 회당대종사의 말씀에 귀 기울여 봅니다.

악한 생각이 일어나더라도
우리는 누르고 억제하며
선한 생각이 나도록 노력해야 한다.
부부간의 정이 좋다고 하나
인연 다하면 이별이 기다리고,
재물이 좋다 하나
인연 다하면 남의 손으로 넘어가고,
놀음이 좋다 하나
명 다하면 이 몸이 없어지니
가장 즐거운 것은
고락에도 치우치지 않는 정법이다.

《실행론》 4-6-3 (나)

29

'갑질'과 '감정노동' 문제는 왜 생기는 걸까요?

공원 잔디밭에 돗자리를 펴고 팔베개를 하고 누워 벌레 구멍이 뚫린 나뭇잎 사이로 봄 햇살이 은은하게 비추던 순간의 그 넉넉하고 포근한 행복감이란 정말이지 시간이 흘러도 잊기 힘들지요? 어떤 시인이 그러더군요. 미끈한 나뭇잎보다 벌레 먹은 나뭇잎이 오히려 예뻐 보일 때가 있다는 거예요. 상처 하나 없이 미끈한 나뭇잎은 곱기는 하지만 왠지 베풀 줄 모르는 귀족 손 같아서 살짝 얄밉게 느껴진다는 겁니다. 상처가 나서 예쁘다는 말이 어쩌면 모순이지만, 남을 먹여가며 살았다는 흔적이기에 세상 무엇보다 아름다울 수 있는 거겠지요.

인간의 삶도 역시 그렇습니다. 베풀 줄 모르고 물질적 가치만을 추구하는 삶이 있는가 하면, 타인에게 헌신하면서 정신적 가치를 추구하는 삶도 있어요. 에리히 프롬Erich Fromm이라는 서양 심리학자는 전자를 '소유 지향'의 삶, 그리고 후자를 '존재 지향'의 삶이라고 말한 바 있습니다. 물질적 가치를 추구하는 소유 지향의 삶은 소유를 통해 자신의 존재를 과시하려는 삶이에요. 많이 소유할수록 자기 존재가 커지기 때문에 항상 '조금 더', '조금 더'를 외치면서 욕망과 허영의 노예가 되고 말지요. 그래서 결국 소유하면 할수록 탐욕스러워질 수밖에 없는 삶을 살게 되는 겁니다.

더구나 이렇게 존재가 소유로써 규정되는 삶에서는, 반대로 아무것도 소유하지 못한 이들은 그야말로 아무것도 아닌 존재로 여겨지게 되는 거예요. 그러니 소위 사회적 강자의 갑질이라든가, 반대로 사회적 약자의 감정노동 문제가 여기서 생기는 겁니다. 《금강경》에 설해진 '사상四相' 가운데 특히 아상我相'과 '인상人相'이 치성한 인연을 짓고 있는 사람들이 바로 이 '소유 지향'의 사람들인 거예요.

오늘날 우리 사회는 아이러니하게도 자기중심적 소유 지향의 삶을 성공적인 삶으로 공인하고 있습니다. 그렇다 보니, 복을 타고났는데도 서로 더 가지려고 다투다가 결국 안 만나니 못한 인연으로 전락하여 원수처럼 으르렁대며 사는 경우도 적지 않아요. 그리고 이젠 물건만으로는 성에 차질 않아 사람까지 소유하려 듭니다. 그 사람이 제 뜻대로 되지 않으면 데이트폭력을 행사하며 끔찍한 비극까지도 불사하는 거예요. 《무소유》의 저자이신 법정 스님의 표현을 빌리자면, 정말이지 제정신도 갖지 못한 처지에 남을 가지려 하는 겁니다.

이러한 소유 지향의 삶은 수준이 낮은 삶이에요. 언젠가 한 번은 빈손으로 떠나갈 몸인데도, 우리는 소유에 눈이 멀어 자기 분수마저 돌볼 새 없이 들떠서, 이미 차 있는데도 자꾸 더 채우려는 습성을 버리지 못하고 있습니다. 불자라면 누구나 본래의 고요한 마음으로 돌아가 물질시대의 이러한 성공에 대한 가치관을 다시 생각해봐야 할 겁니다.

진각성존 회당대종사께서는

옴마니반메훔을 염송하며
탐심을 없애기 위해 희사하고
지혜를 밝히기 위해 정진해 나가면
이 가운데서 복이 솟아난다.

《실행론》4-6-3(나)

고 말씀하셨습니다. 돈과 권력, 명예와 지위는 언젠가는 덧없이 사라지고 맙니다. 비록 가진 것이 별로 없다 할지라도 자기 성품에 충실하고 소욕지족少欲知足하는 마음으로 살아간다면 그 삶이야말로 더욱 성공적인 삶이라고 할 수 있지 않을까요? 나누고 베풀고 희생함으로써 자신의 존재를 더 빛나게 하는 '존재 지향'의 삶에 모두가 동참하는 하루하루가 되기를 서원합니다.

30

인간관계와 업무 스트레스가 너무 힘들어요. 어떻게 해야 할까요?

물을 건드리지 않으면 맑고 좋은 물처럼 보이지만, 일단 그 물을 휘저어보면 온갖 부유물이 다 뜨듯이, 사람도 평소에는 좋아 보이지만, 누가 한번 건들기라도 하면 이내 성격이 드러납니다. 이렇게 한 사람의 성격이나 성향 때문에 여러 사람이 힘들게 되는 경우도 참 많지요.

얼마 전 간호사 한 명이 아파트에서 투신해서 자살하는 사건이 있었습니다. 경위를 추적해 보니 그 원인이 간호사들 사이에서 벌어지는 소위 '태움' 때문이었다더군요. 태움이라니 대체 무슨 말인가 의아했는데, 알고 보니 '영혼이 재가 될 때까지 태운다'는 뜻이랍니다. 쉽게 말해 선배간호사가 신임간호사들 군기를 잡는 답시고 너무나도 혹독하게 괴롭힌다는 거예요. 쉬는 시간에 커피 좀 마시면 신임 주제에 커피 마신다고 뭐라 하고, 사소한 일에도 차트를 집어던지고, 작은 실수 하나도 일일이 트집을 잡아가면서 정신적으로 힘들 만큼 쓴소리하고 매섭게 역정을 낸다는 거지요. 작은 실수 하나로도 사람 목숨이 왔다 갔다 하는 일이니 간호사들 사이에 위계질서나 군기가 당연히 셀 수밖에 없겠지요. 그래도 그렇지, 스트레스가 얼마나 심했으면 병원 일을 시작한 지 얼마 안 되어 세 명에 한 명꼴로 이직을 하겠어요?

비단 간호사들뿐만 아니라 우리 사회의 많은 이들이 일터에서 인간관계와 업무 스트레스에 시달리고 있어요. 늘 마음의 여유도 없이 타이트하고 조급한 상황 속에서 실수 없이 맡은 일들을 처리해 나가야 하니, 긴장 속에서 그야말로 영혼이 바싹바싹 타들어 갈 수밖에 없는 겁니다. 게다가 남보다 내가 앞서고 경쟁에서 이겨야 성공할 수 있는 사회구조이다 보니, 선행과 선심은 뒷전이고 매정함과 독설만 가득한 거예요. 정말이지 요즘 진정으로 타인을 배려하고 위로하는, 간혹 덕이 묻어난 글을 인터넷상에서 접하게 되면 마치 사막 한복판에서 물을 만난 것 같다니까요?!

직장인들이 인간관계에서 힘들어하는 또 다른 이유가 바로 상사의 갑질입니다. 우월한 직위에 있다고 해서 그 힘과 권력을 이용해 아래 사람을 육체적·정신적으로 괴롭히는 이들이 우리 사회에 많다는 것은 최근 미투Me Too 운동을 통해 과거사를 털어놓은 용기 있는 몇몇 여성의 폭로로 인해 속속 밝혀지고 있습니다. 나날이 갱신되는 기사를 보면서 사람의 인격과 명성은 반드시 비례하지 않는다는 사실을 우리는 절절히 깨닫게 되었지요. 명성이란 것은 한 사람의 인상을 남이 평가하는 외부의 소리이지만, 인격이라고 하는 것은 결국 그 사람 안에 갖춰진, 그 사람만이 알고 있는 마음의 자태이며 그릇인 겁니다.

중생이 사는 이 말법 세간을 오탁악세五濁惡世라고 하지요. 진

각성존 회당대종사께서는

> **옛날에는 도덕 인륜을 세워서**
> **사람을 사람답게 만들었지만,**
> **지금은 사람이 사람다워 보이지만**
> **물질시대의 오탁에 물들어 있다.**
>
> 《실행론》 5-8-13

고 말씀하시면서, 오탁악세의 허망한 세계에는 이성理性과 지성智性을 여는 육자심인六字心印 '옴마니반메훔' 본심진언의 수행이 절실함을 역설하셨습니다.《실행론》 1-3-7 넉넉한 마음의 도량이 부족하여 항상 좋은 인을 짓지 못하고, 남의 불행 위에 나의 행복을 세우려 했던 지난날의 탐심을 돌아보고 참회하며, 새롭게 회향할 수 있는 내가 되기를 서원합니다.

31

침대 발암 물질 검출…… 과학, 그 맹신에서 벗어나려면?

'세계에서 가장 부유한 초콜릿 사업자'로 불리던 이탈리아의 미켈레 페레로 회장이 2015년 2월 14일에 89세의 나이로 사망했습니다. 공교롭게도 이날은 발렌타인데이였어요. 페레로 가문의 자산은 2014년 기준 234억 달러로, 한화로 치면 약 25조 7470억 원에 이른다고 합니다.

배스킨라빈스의 창업주가 사망한 이유도 아이러니합니다. '배스킨'과 '라빈스'라는 이름의 이 두 남자는 1945년에 자신들의 이름을 딴 아이스크림 회사를 설립했는데 이들 중 배스킨은 1967년에 심장질환으로 사망하게 됩니다. 그는 사망 당시 체중이 100kg이 넘는 비만형 체구였다고 해요. 그런데 라빈스도 그다지 건강이 좋지 못했다고 합니다. 콜레스테롤 수치 300에 당뇨 증세로 실명과 괴저병의 위험을 안고 있었어요. 다행히 채식주의자였던 아들의 권고로 아이스크림을 멀리하고 식생활 개선에 노력한 덕분에 장수했던 것으로 밝혀졌습니다.

초콜릿을 팔던 사람이 초콜릿이 제일 잘 팔린다는 발렌타인데이에 사망한 것도 아이러니고, 아이스크림을 팔던 사람이 자신의 건강을 위해 아이스크림을 안 먹게 되었다는 것도 정말 아이러니가 아닐 수 없습니다.

이미 고인이 된 애플의 전 회장 스티브 잡스의 경우도 마찬가지였어요. 세계적 스마트폰인 ‘아이폰’을 개발한 것으로 유명한 그는 정작 본인의 자녀에게만큼은 컴퓨터의 이용 시간을 엄격히 제한했다고 하더군요. 이건 마치 의사들이, 다른 사람이 아프면 병원으로 빨리 옮기라고 권하면서도, 정작 본인의 가족이 아프면 절대 병원에 가지 말고 다른 방법으로 나으라고 권고하는 것과 다를 바 없는 일인 겁니다. 현대 과학이나 의학, 테크놀로지의 한계와 위험성을 전문가들은 이미 알고 있었던 거지요.

얼마 전 발암 물질인 ‘라돈’이 다량으로 검출된 침대 제조사가 소비자들의 입방아에 오르내렸는대요. 검사 결과 실내기준치 3배를 웃도는 위험 수준이었다고 하더군요. 전문가에 의하면 우라늄과 토륨 등이 붕괴하면서 많은 방사능 동위원소가 생성되는데 그중 하나가 라돈이며, 이는 외부 피폭을 일으킬 수 있는 매우 위험한 물질이라는 거예요.

어쩌다 이 지경에 이르렀을까요? 사람끼리 못 믿어 CCTV를 곳곳에 세워놓고 서로를 감시하지를 않나, 이제는 뿌옇게 날아드는 초미세먼지에 숨 쉴 공기마저 편치 않아 공기청정기가 불티나게 팔리고 있어요. 가습기에, 화장품에, 치약까지 각종 유해성분 검출로 떠들썩하더니 이제는 발 뻗고 자던 침대마저 못 믿게 생겼으니 얼마나 답답한 노릇입니까!

과학과 욕망이 세상을 편하게 만들어 온 것도 사실이지만, 그것이 과해지면서 서로 간에 불신을 키우고 이제는 기본적인 호흡마저 불편해진 사실 역시 부인할 수 없습니다. 이 시대의 과학 맹신에서 벗어나 마음의 참자유를 되찾으려면 어떻게 해야 좋을지, 진각성존 회당대종사의 말씀에 귀 기울여 봅니다.

동양에서 과학이 일어나자면,
멸하는 공부를 하지 않으면
쓰지 못하는 과학이 되고 만다.
불처럼 일어나는 공부는 과학이고,
물처럼 멸하는 공부는 삼밀이다.

《실행론》4-3-15 (다)

외모지상주의의 현실, 어떻게 이겨나가야 할까요?

6학년 딸을 둔 주부가 한번은 냉장고의 냉동실 문을 열었더니 숟가락이 나오더래요. 그래서 왜 숟가락이 냉동실 안에 있느냐고 딸아이에게 묻자, 눈이 부어서 안 예뻐 보인다며 얼린 숟가락으로 마사지하려고 그랬다고 하더랍니다. 한 번은 또 아이 방문을 열었더니 흠칫 놀라더래요. 뭘 하나 봤더니, 풀로 쌍꺼풀을 만들고 있었던 거예요. 싸구려 쌍꺼풀 액을 한동안 쓰고 있었던 겁니다. 눈에 들어가면 어쩌려고 그러냐고 야단을 쳤는데도 다음 날 되면 또 붙이고 있더랍니다.

요즘 아이들이 그래요. 초등학생들도 '얼짱', '몸짱'을 꿈꾼답니다. 남자아이들도 '복근'을 만든다고 난리고, 여자아이들은 유튜브 동영상을 보고 화장법을 배워 아이라인을 그린대요. 생일 선물로 화장품을 주고받기도 하고, 시험이 끝나면 화장품 가게에 우르르 몰려가 샘플 화장품을 이것저것 발라 보기도 한다는 거예요.

아이들의 모습은 모두가 어른들 모습의 투영이며 그림자입니다. '루키즘lookism'이라는 말이 있어요. 외모가 개인의 우열뿐 아니라 인생의 성패까지도 좌우한다고 믿어 지나칠 정도로 외모에 집착하는 경향이나 풍조를 말합니다. 이렇듯 외모지상주의 시대가 되면서 외모가 받쳐주질 않아서 자신의 능력이 빛을 보지 못한다고 생각하는 이들이 늘고 있어요.

물론 각종 영상과 매체가 활개를 치는 지금 같은 미디어 시대에 외모를 중시하는 건 어쩌면 당연한 일입니다. 그러나 특히 청소년들은 한 가지 일에 집중하면 그 일에만 매달리는 습성이 있어 외모 가꾸기에 집착하면 오로지 그 일에만 신경을 쓰게 되니 문제지요. 어느 한쪽으로만 계속 가는 것은 차라리 안 가는 것만 못한 경우가 많습니다. 아름다움에 대한 경우가 특히 그래요. 외면적 아름다움, 내면적 아름다움, 그리고 도덕적 아름다움의 균형을 이룰 수 있도록 자기의 생각을 잘 다스려가야겠지요.

지나친 외모 가꾸기나 성형보다는 자신 있는 삶, 그리고 내적으로 아름다운 삶을 가꾸어가는 것이 중요합니다. 사람은 외형적 아름다움에 쉽게 매료당하는 것 같아도 알고 보면 행동과 말, 마음에 매력이 없으면 금세 싫증이 나기 마련이거든요. 앞으로는 살〔身〕을 빼기 위한 다이어트만 일방적으로 할 것이 아니라, 남에게 상처 주는 말〔口〕을 줄이는 묵언默言 다이어트, 또 내 마음〔意〕을 조금 내려놓는 하심下心 다이어트를 실천해보면 어떨까요?

보이는 것에만 집착하는 삶은 유위有爲의 삶입니다. 보이지 않는 곳에서도 내면의 아름다움을 지키는 것이 바로 무위無爲의 삶이에요. 속이 더부룩할 정도로 과식한 날보다 조금 많다 싶을 때 숟가락을 놓고 소식小食한 날이 몸도 마음도 더 가뿐하듯이, 유한한 육신에 대한 집착을 버리고 마음의 법을 키우는 수행을 이어가야겠습니다.

우리의 마음은 죽지도 않고 불에 타지도 않는다.
사람이 이 세상에서 명命을 마치고 죽는다면
지地, 수水, 화火, 풍風, 공空, 식識으로 각각 돌아가고
육체는 한 줌의 재로 변하지만,
식識인 마음은 이 세상에서
지은 업에 따라서 태어난다.
생명이 다하는 날에는
어떤 보물도 다 버리고 간다.
다만 가지고 가는 것은 업業뿐이다.

《실행론》4-1-9

33

상대를 잘 설득하려면 어떻게 해야 할까요?

한 각자님이 언젠가 둘째 딸아이를 혼내다가 놀라운 말을 들었다고 합니다.

"아빠가 내 인생을 알아?!"

겨우 초등학교 5학년짜리 입에서 이런 충격적인 얘기가 나오리라고는 생각지도 못했던 거지요. 이 말 속에는 아빠하고는 대화가 되지 않는다는 의미가 들어 있습니다. 각자님은 그동안 내가 얼마나 아이에게 일방적인 말을 건네고 강요해 왔는가를 참회했다고 해요. 그뿐 아니라 이 사건을 계기로 부모가 말을 많이 하는 것이 대화를 잘하는 것이 아니라, 아이들의 고민거리부터 학교생활, 자기들만의 얘깃거리를 귀담아 듣는 게 좋다는 것을 알게 되었다고 합니다. 그리고 놀라운 것은 각자님의 이러한 태도의 변화만으로도 대화의 질이 높아지고 아이의 태도가 긍정적으로 변해가는 게 보이더라는 거예요. 그저 들어주는 것만으로도 설득할 수 있다는 진리를 깨닫게 된 겁니다.

한 여학생이 방학 중에 '베스킨라빈스'라는 유명한 동네 아이스크림 가게에서 아르바이트를 하게 되었어요. 그런데 하루는 조폭(?)같이 생긴 건장한 청년 고객이 찾아왔어요. 그녀는 무섭게 생긴 청년에게 떨면서 정중하게 말했습니다.

"어서 오세요, 고객님! 어떤 아이스크림 드릴까요?"

그러자 청년은 거친 목소리로 말했습니다.

"딸기로 주세요!"

"네, 여기 있습니다, 고객님."

그러자 청년은 언짢은 듯 이렇게 말했습니다.

"더 퍼 주 세 요!"

순간 무서운 느낌을 받은 여학생은 당황하며 미소를 잃지 않고 조금 더 퍼주면서 말했어요.

"여기 있습니다, 고객님."

그러자 청년 고객은 화를 내면서 말했습니다.

"더 퍼 달 라 니 까 요!"

여학생은 무서움에 떨며 더 퍼주면서 떨리는 목소리로 말했어요.

"네, 아주 많이 더 펐습니다. 고객님, 이제는……."

그러자 청년은 더 큰 소리로 화를 내며 이렇게 말하는 것이었습니다.

"이봐, 아가씨, 내 말 못 알아들어?! 뚜껑 덮어달라니까!"

'말하기' 보다 어려운 것이 어쩌면 '듣기'일지도 모릅니다. 공자는 "말을 배우는 데는 2년, 경청하는 데는 60년이 걸린다."라고 했어요. 그만큼 듣는다는 것은 생각보다 어렵다는 사실을 호소한 겁니다. '들을 청聽'자의 올바른 의미를 아시나요? 우선 '귀 이耳'에 '임금 왕王'자가 있는 것은 임금의 귀로 듣는다는 걸 뜻합니다. 또한 '열 개十'의 '눈目'과 '하나一'의 '마음心'으로 듣는다는 걸 말해요. 여기서 열 개의 눈은 상대방에게 시선을 돌려 말하는 사람의 일거수일투족을 보라는 것이며, 하나의 마음은 건성으로 듣지 말고, 마음을 다하여 들으라는 것입니다. 입단속을 잘하고 내가 먼저 귀를 여는 것, 이것만으로도 충분히 상대를 설득할 수 있지 않을까요?

본本으로써 말末을 바룬다는 것은
안에서 밖으로 바루는 것이니
마음을 고쳐 눈, 귀, 코, 혀, 몸을 바르게 하며
하나로써 열을 바르게 하는 것을 말한다.

《실행론》2-8-1

34

소득 양극화로 인해 상대적 빈곤을 느낍니다. 해결책이 있을까요?

미세먼지와 소음이 심한 곳에 있을 때와, 공기 좋고 물 좋은 자연에 있을 때 그 기분은 사뭇 다르지요. 이처럼 똑같은 사람이라도 어떤 환경에 놓이느냐에 따라 행복도가 달라질 수 있습니다. 그런데 반대로 똑같은 환경에 있더라도 각각의 입장에 따라 받아들이는 태도가 다를 수 있어요. 예를 들어 옆집에서 들리는 피아노 소리는 그 아이 엄마에게는 흐뭇한 선율로 들릴지 몰라도, 옆집 수험생에게는 소음이나 스트레스가 될 수 있습니다.

또 각자의 성품이나 심리적 요건에 따라 같은 환경도 서로 다르게 받아들이는 경우가 있어요. 한 스님이 그러시더라고요. 인도 성지순례를 가면 수백 명이 함께 다니는데, 똑같은 버스를 타고 똑같은 호텔에서 자고 똑같은 식당에서 밥을 먹어도 어떤 이들은 연신 즐거워하고, 어떤 이들은 힘들다고 울상이라는 겁니다. 어쩌다 불편한 트럭이라도 타게 되면 "언제 또 이런 걸 타보겠냐"면서 흥미를 보이는 사람이 있는가 하면, "요즘 같은 세상에 이런 걸 어떻게 타느냐"며 불평불만을 늘어놓는 사람도 있어요. 이처럼 만족할 수 있는 상황인데도 스스로 불행을 자초하는 경우가 의외로 많습니다.

지나가던 나그네가 울고 계신 할아버지를 보고는 이유를 물

었어요. 그랬더니 할아버지 왈,

"두 아들이 있는데 큰놈이 우산장수고, 작은놈이 소금장수라오. 오늘같이 해가 나면 큰놈 장사가 걱정이 되어 울고, 비가 오면 작은놈 걱정이 되어 운다오."

그 말을 들은 나그네가 웃으며 한마디 합니다.

"영감님, 복도 참 많으십니다. 비가 오면 큰아들이 돈을 벌고, 해가 뜨면 작은아들이 돈을 버니, 날마다 돈 버는 날 아닙니까?!"

두 아들은 그저 자기 인생을 살아갈 뿐이지요. 문제는 할아버지예요. 우리가 사는 모습이 이 할아버지와 다르지 않습니다. 행복과 불행 중에 놀랍게도 불행을 더 많이 선택하는 거예요. 행복으로 살아가도 되건만, 기어이 자신을 불행 쪽으로 몰고 가서는 불행한 인생을 자처합니다. 그리고 "내 인생은 왜 이렇게 불행하냐"면서 하늘을 원망하고, 부모를 원망하고, 자신을 원망해요. 귀한 인간의 몸으로 태어나 이보다 어리석은 일이 또 어디에 있겠습니까.

요즘 GDP가 높아졌네, 어쩌네 하면서 마치 대한민국이 엄청난 선진국 대열에 합류한 것처럼 언론에 보도되고 있지만, 국민 대다수인 서민들은 체감조차 할 수 없다며 불만을 토로합니다. 2015년 국회 기획재정위원회 국정감사보고 자료에 따르면 2013년 기준 우리나라 상위 10% 소득은 전체의 47.77%로 집계되었어요. 쉽게 말해 국민 소득의 거의 절반은 상위 10%의 부자들이 챙긴다는 얘깁니다. 이렇게 '소득의 양극화'가 심화되는 시대일수록 사람들은 때때로 자신이 누리는 행복의 진정한 가치를 발견하지 못할 때가 많아요.

지옥 중에 가장 견디기 힘든 지옥이 뭔지 아십니까? 정답은 바로 '천국이 내려다보이는 창문이 있는 지옥'이랍니다. 절대적 빈곤보다 더 견디기 힘든 것이 바로 상대적 빈곤이에요. 소위 많이 가진 이들도 더 많이 가진 이들을 보면서 상대적 박탈감을 느낀다고 하더군요. '배고픈 것은 참아도 배 아픈 것은 못 참는다'는 말이 나온 이유도 여기에 있어요. 그러나 조금은 내려놓고 생각해 보세요. '상향비교'보다는 '하향비교'의 지혜가 필요한 때입니다.

행복은 늘 감사의 문으로 들어와 불평의 문으로 나가게 되어 있어요. 그러니 나에게 주어진 모든 인연에 대해 감사를 선택하면 감사할 일만 생기고, 반대로 불평을 선택하면 불평할 일만 생기지 않을까요? 진각성존 회당대종사의 말씀에 귀 기울여 봅니다.

봉건시대에는 사람의 이목耳目이 두려워서
그릇된 일을 할 수 없었고,
현대 자유시대에는 법신불의 은혜로써
행복하게 사는 것에 감사해야 한다.
아는 죄는 사람이 다스리고
모르는 죄는 법계에서 다스린다. 《실행론》 5-5-2

35

우리가 사는 세상에 왜 부귀와 귀천의 차별이 존재하나요?

언어분석 연구결과에 의하면 우리나라 사람들이 감정을 표현할 때 자주 쓰는 말은 430여 개라고 합니다. 그것을 '불쾌함'에 속하는 부정적인 말과 '유쾌함'에 속하는 긍정적인 말로 구분할 수 있는데, 분석해보면 결과는 7대 3 정도의 비율이 된답니다. 부정적인 말을 그만큼 많이 하고 산다는 뜻이에요. 그중에서 긍정적인 상태를 표현하는 최고의 단어로 꼽힌 것은 바로 '홀가분하다'는 말이었다고 합니다. 얼핏 생각하면, 뭔가를 얻었다는 '성취감'이나 짜릿한 자극과 같은 '황홀감'이라는 단어가 최고의 긍정적인 경지일 듯도 합니다만, 의외로 인간의 마음이란 그와 달리 무엇이 보태진 상태가 아닌 '거추장스럽지 않고 가뿐한 상태', 바로 이 '홀가분한 상태'에서 가장 큰 기쁨을 느낀다는 겁니다.

《본생경》이라는 경전에는 먹이 하나를 놓고 다투는 매의 무리에 관한 얘기가 소개되어 있습니다. 하늘을 날던 매 한 마리가 땅 밑을 내려다보니 고깃덩어리 하나가 눈에 띄는 거예요. 쏜살같이 내려와 고기를 덥석 물었는데, 그 순간 주위에 있던 다른 매들이 그것을 뺏으려고 떼거리로 공격해오는 겁니다. 하는 수 없이 물었던 고기를 땅에 떨어뜨리고는 나뭇가지로 몸을 피했어요. 정신을 차리고 땅밑을 보니 매들이 고기가 떨어진 쪽으로 몰려가 서로 차지하려고 난리가 난 거예요. 날개를 푸닥거리고 발톱을 세워 할퀴기를 여러 번, 몇몇 매들은 상처를 입고 나뒹굴었습니다.

나뭇가지로 몸을 피했던 매는 그제야 한숨을 내쉬면서 탄식을 했습니다.

"내려놓기만 하면 온 천지는 내 것인데, 그걸 못해 여태껏 아웅다웅 살았구나……."

내려놓고 살면 정말이지 홀가분하게 살 수 있는데, 중생들은 그렇지 못해서 늘 걱정이 많습니다. 한 환자가 의사를 찾아와

"저는 건망증이 너무 심해서 왔습니다."

하고 말하자, 의사가 하는 말이,

"그럼, 돈부터 먼저 내시죠."라고 하더랍니다.

환자의 병을 어떻게 고칠까 궁리하기보다는 건망증 때문에 치료비를 떼일까 싶어 노심초사하는 거예요. 어쩌면 대부분의 중생들이 살아가는 모습이 이와 다르지 않습니다. 특히나 요즘과 같은 황금만능의 물질 시대에는 돈에 대한 집착심으로 전전긍긍하며 전도된 삶을 살아가기 일쑤입니다. 부정한 수단으로 돈을 모은 이들은 그 돈 때문에 괴로워하고, 대다수의 돈 없는 이들은 일부 부도덕한 부자들이 나락으로 떨어지는 모습을 보면서 분노와 희열을 함께 맛보곤 하지요.

그러나 연기緣起의 이치를 근본으로 인과因果를 성찰한다면 인간의 귀천이나 부귀의 차별이란 그렇게 눈이 벌게져서 날뛸 일도 아니에요. 부처님께서는 사람이 귀하게도 되고 천하게도 되는 것

은 출생에 의해서가 아니라 그 사람의 행위에 의해서라고 말씀하셨습니다. 출신성분에 따라서 부자도 되고 가난하게도 되고, 또 출세하기도 하고 못 하기도 하는 것이 아니라, 스스로의 노력에 의해서 결정된다는 뜻이지요. 따라서 우리가 지금과 같은 모습으로 태어난 것은 우연이 아니라 전생의 원인에 의한 결과라는 점을 인정하는 것이 중요합니다. 그리고 더욱 중요한 것은, 지금 내가 하고 있는 말과 행위, 그리고 마음으로 짓고 있는 모든 생각은 미래의 내 삶에 직접적인 영향을 미친다는 사실을 믿고 받아들이는 것이겠지요.

진각성존 회당대종사의 말씀에 귀 기울여 봅니다.

인因 지어서 과果 받음은 우주 만유 법칙이라.
좋은 인을 지은 이는 좋은 과를 받게 되고,
나쁜 인을 지은 이는 나쁜 과를 받게 된다.
전생 인을 알려 하면 금세今世 받는 그것이요,
내생來生 과를 알려 하면 금세 짓는 그것이라.
모든 법은 인연으로 이뤄지는 것이므로
만약 인연 없게 되면 모든 법도 없느니라.

《실행론》2-11-1

36

인간관계에 있어 가장 중요한 것은 무엇일까요?

의심이 많은 것이 바로 중생의 병입니다. 오늘날은 의심병이 주위에 너무도 만연해 있어요. 사람이 사람을 믿지 못하는 거예요. 집안 식구들끼리도 서로 믿지 못하니, 그런 사람들이 이웃을 믿고 살 리가 없지요. 현대인들이 외로운 느낌에 시달리는 것은 이처럼 사람에 대한 믿음에 확신이 없기 때문인 경우가 많을 겁니다. 믿을 사람이 없어서 괴롭고, 또 믿어주는 사람이 없으니 또 괴로운 거예요.

어느 여인이 비행기를 기다리다가 편의점에서 잡지 한 권과 과자 한 봉지를 사 들고 왔습니다. 아직은 시간이 있어서 대합실에 앉아 잡지책을 넘기고 있었어요. 잠시 뒤 뭔가 부스럭거리는 소리가 나서 옆을 쳐다보았습니다. 그런데 옆에 앉은 어떤 신사가 방금 자기가 놓아둔 과자 봉지를 뜯고 있는 거였어요. 깜짝 놀랐지만 뭐라고 말하기도 그렇고 하여 그냥 자기도 과자를 하나 집어 입에 넣었습니다. 그 남자는 너무도 태연하고 능청스러웠어요. 여자가 하나 집어 먹으면 자기도 하나 집어 입에 넣는 것이었습니다. 서로 계속 그렇게 하나씩 집어먹었어요. 보기에 따라서는 참 우스운 광경이었지요.

이제 과자가 딱 하나 남게 되었습니다. 그 남자가 그 마지막 과자를 집어 들었어요. 과자가 이제 없다는 걸 알았는지 절반으로 쪼개어서는 절반을 봉지에 다시 올려놓고 절반은 자기 입에 넣었습니다. 그리고는 씽긋 웃으면서 자리에서 일어났어요.

"세상에 저런 철판 깐 낯짝도 다 있담. 능글맞게 웃기까지 하면서, 어휴 저렇게 뻔뻔스러울 수가……."

여인은 몹시 불쾌하여 한동안 헝클어진 호흡을 고르며 앉아 있었습니다. 잠시 뒤 비행기에 올랐을 때도 그 남자의 뻔뻔스럽고 무례한 모습이 아른거려 기분이 언짢았습니다. 그런데 이게 웬일입니까. 안경을 닦기 위해 휴지를 꺼내려고 종이가방을 열었는데 그 속에 자기가 샀던 과자가 그대로 있는 것이었습니다. 그녀가 열심히 집어 먹은 과자는 그 남자의 것이었습니다.

사람을 믿지 못하면 오해가 생겨서 마음의 불행을 자초하게 됩니다. 부부간에 믿지 못하고, 부모와 자식 간에 믿지 못하고, 형제간에 믿지 못하면 불안할 수밖에 없어요. '의심이 병'이라는 속담도 있듯이, 쓸데없이 지나친 의심으로 속을 태우면 그것이 번뇌가 되고, 더 나아가 치유하기 힘든 병이 되고 맙니다.

누군가 그러더라고요. 시장에서 조개를 사는데 장사치가 저울에 달면서 손으로 살짝살짝 누르는 것 같더래요. 정말로 그 사람을 속일 작정으로 저울을 지그시 눌렀을 수도 있지만, 보는 이의 오해일 가능성이 더 큽니다. 설사 그런 장사치를 만났다 하더라도, 회당대종사께서는 "내가 속는 인연을 참회해야지, 속이는 사람을 미워해서는 안 된다."고 말씀하셨습니다.

자신을 위해서라도 가족을 믿고 이웃을 믿어야 합니다. 부처님 믿듯이 믿으세요. 내가 이렇게 믿는데도 불구하고 자꾸 믿음을 져버리는 가족, 또는 이웃이 있다면 그때마다 그들을 위해 서원해주어야 합니다. 이처럼 사람을 믿는 것도 중요하지만, 진리를 믿는 것은 더욱 중요한 일이겠지요. 진언행자 입장에서는 특히 육자진언의 공덕을 믿고 굳건하게 실천해나가야겠습니다.

진정한 믿음이란 어떤 것인지, 진각성존 회당대종사의 말씀에 귀 기울여 봅니다.

사람에게 믿음이 없으면
곧 수레에 바퀴가 없는 것과 같다.
믿음으로써 각覺이 생生하는 것이며
평안과 넉넉함이 온다.
믿음이라는 것은 경을 믿고 스승의 말을 믿고
인과를 아는 것이며
의뢰依賴는 중重한 줄만 알고 각覺이 없는 방편이다.
그러므로 삼보를 숭상 예배만 하고
깨달음이 없으면 의뢰적 방편이 된다.

《실행론》 3-11-2

37

이 치열한 경쟁 사회에서 평온을 되찾을 방법이 없을까요?

어떤 구두쇠 총각이 결혼을 하게 되었어요. 그런데 결혼을 하려고 하니 그 총각이 구두쇠로 소문이 자자해 선뜻 주례를 서줄 사람이 없었습니다. 그래서 그 총각은 고민 끝에 어느 교회로 목사님을 찾아갔어요.

"목사님, 제가 결혼을 하는데 주례를 좀 서 주시겠습니까?"
"음……. 사정이 그러하다니 내가 주례를 서 주겠네……."

그런데 이 구두쇠 총각은 목사님께 사례비를 얼마를 드려야 할지 고민을 하다가 물었습니다.

"사례비는 어느 정도 드리면 되겠습니까?"

목사님은 자신의 체면도 있고 해서 얼마라고 말을 못 하다가 좋은 생각이 떠올랐어요.

"자네 결혼하는 신부가 이쁜 만큼만 주면 되네……."

그러자 구두쇠 총각은 밝은 얼굴로 천원짜리 한 장을 내미는 것이었습니다. 이에 목사님은 차마 말을 잇지 못 하면서 떨떠름한 표정으로 그 천원을 받았습니다.

결혼식을 무사히 끝냈지만, 목사님은 주례에 신경 쓰느라 신부가 어떻게 생겼는지도 몰랐어요. 궁금해진 목사님은 신부의 면사포를 살짝 들쳐보았습니다. 그리고는 신혼여행을 떠나려는 구두쇠 총각을 불러 말했어요.

"여기 있네. 거스름돈!!!"

총각의 손에는 900원이 쥐어져 있었습니다.

웃고 넘길 얘기이긴 하지만, 한 번쯤 성찰해 볼 일입니다. 우리 스스로가 가치를 평가절하하고 있는 무언가가 있다고 했을 때, 실은 남들이 볼 때 그것은 더욱 평가절하되고 있는 건지도 몰라요. 나와 내 가족의 가치를 스스로 낮추면, 다른 사람들은 그 이하로 평가하는 법입니다. 항상 격려하고 칭찬하는 삶, 나와 상대의 자존감을 높여주는 삶을 살아야겠습니다.

얼마 전 한 학생이 수업 시간에 교사에게 욕을 하는 사건이 발생해 담당 교사가 학생을 체벌하고 벌을 주었답니다. 그런데 다음 날 학생의 부모가 찾아와 담당 교사를 불러내더니 "당신이 뭔데 내 아들을 때리고 벌주느냐?"면서 "당신도 한번 맞아 보라!"며 교사를 때렸다지 뭡니까. 그런데 더 황당한 일은 그다음 날 벌어졌어요. 맞은 교사의 엄마도 학교에 찾아와 그 학생의 부모를 데려오라며 난리를 쳤다는 것이었습니다.

부모의 지나친 간섭은 자녀의 자존감을 낮춥니다. 스스로를 엄마 없이는 아무것도 할 수 없는 사람으로 인식하게 되는 거예요. 자녀를 인정으로 키우지 말고 지성으로 양육해야 합니다. 자기 인생의 주인으로 사는 법을 가르쳐야 해요. 많은 부모가 자녀의 자존감과 가치를 판단하기 위해 항상 누군가와 비교를 합니다. 비교 대상은 주로 가까이에 있는 주변 인물이거나 배경이 비슷한 친구의 자녀가 되지요. 그러나 엄마 친구 아들인 '엄친아'와 우리 아들 친구인 '우아친'은 어른들의 욕망이나 가치관이 투사된 생각 속의 허상일 가능성이 큽니다.

이처럼 '남'보다 잘하려고 노력하는 '경쟁'보다는, '전前'보다 잘하려고 노력하는 '상생'이 바람직합니다. 전보다 나아지려고 노력하는 사람은 언제나 전과는 다른 모습으로 자신을 변화시켜 갑니다. 진실한 자기 참회를 바탕으로 나아가기 때문이에요. 따라서 내가 승자가 되기보다는 나를 포함한 모든 사람이 승리할 수 있는 삶을 살 수 있게 됩니다. 늘 하심하고 마음을 넓고 크게, 또 둥글고 가득 차게 써서 긴장되고 위축된 삶을 살기보다는 평온하고 넉넉한 삶, 원만하고 둥근 삶을 사시기 바랍니다.

진각성존 회당대종사의 말씀에 귀 기울여 봅니다.

자기가 하고 있는 일이 과연 남에게
얼마나 이익이 되는가를 살펴보아야 한다.
남에게 피해를 주면 공동생활에 방해가 된다.
남을 위해 나의 나쁜 버릇을 뚝 떼어 버리면
곧 자리이타행이 된다.

《실행론》4-1-12(나)

38

양심에 어긋나지 않고 떳떳하게 살아가려면 어떻게 해야 할까요?

트럭으로 온 동네를 누비며 수박을 팔아서 생계를 유지하는 수박 장수가 있었습니다. 여느 때와 같이 수박을 파는데 그날은 유난히 수박이 팔리지 않았어요. 저녁이 다 됐지만, 수박은 차에 한가득 실려 있었고 더 이상 팔리지 않았답니다. 수박 장수는 기분이 좋지 않아 장사를 접고 집으로 가며 홧김에 신호도 무시하고 과속으로 차를 몰았어요. 그런데 뒤에서 빵빵거리는 소리와 함께 사이렌을 울리며 경찰차가 따라오고 있는 겁니다.

최고속도를 내며 경찰차를 따돌리려고 안간힘을 쓰는데, 경찰차가 뒤에서 포기하지 않고 따라오는 거예요. 추격전을 벌인지 5분쯤 뒤에 수박 장수는 결국 경찰 따돌리기를 포기하고 갓길에 차를 세웠습니다. 차에서 내린 경찰관이 수박 장수에게 달려오며 이렇게 말했어요.

"아저씨! 수박 한 덩이만 주세요! 근데 왜 이렇게 빨리 달려요?!"

경찰관은 그냥 수박 하나 사려고 따라온 것뿐인데, 수박 장수는 가슴이 덜컥 내려앉았던 거지요. 누구나 양심이라는 게 있기 때문에 죄를 지으면 탄로 날까 두려워 노심초사하고 걱정하다가 도리어 자신도 모르는 사이에 그것을 드러내어 꼬리를 잡히곤 합니다. '도둑이 제 발 저린다'는 속담은 바로 이런 경우를 두고 하는 말일 거예요.

마음 한구석에 무언가 켕기는 게 있으면 누구한테 들킬세라 안절부절 못하는 게 우리 중생입니다. 하지만 제 발이 저리기라도 하는 도둑은 그나마 양반이에요. 법을 어겼다든가, 부당한 이익을 취해놓고도 아무렇지도 않게 태연한 표정으로 숟가락을 드는 이들이 늘어가는 것 같아 씁쓸합니다. 어느 도시의 시청에서 공무원들을 대상으로 "당신이 저지른 비리를 폭로하겠다"며 금전을 요구하는 협박 전화가 계속됐답니다. 그런데 놀라운 것은 공무원들이 묻지도, 따지지도 않고 무조건 돈을 송금해 줘버렸다는 거예요. 어처구니가 없지요.

이 소식을 들은 많은 사람들은 협박한 사람보다 돈을 송금한 공무원들을 더 문제시했다고 합니다. 얼마나 떳떳하지 못했으면 덮어놓고 송금부터 해줬겠어요? 모두가 작은 이익 앞에 대의를 저버리는 소탐대실小貪大失의 우를 범했기 때문에 당당하지 못했던 거겠지요. 눈앞에 보이는 작은 이익에 매달리다가는 결국에는 오히려 큰 것을 놓치게 됩니다. 또 이렇게 어떤 문제에서 한 번 양심을 속이게 되면 다른 일에서도 양심을 저버리는 습관이 생길 수 있어요.

예전에 한 번은 송유관에서 기름을 훔치려고 땅굴을 판 일당

이 경찰에 붙잡혔는데, 무려 두 달 동안 열심히 파 들어간 땅굴의 길이가 무려 80m나 됐다더군요. 이런 성실함을 건설적이고 좋은 일에 쓰면 참 좋을 텐데 말이지요. 옛말에 '오이는 씨가 있어도 도둑은 씨가 없다'고 했습니다. 다시 말해 도둑질은 조상 대대로 유전하는 것이 아니기 때문에 누구나 한순간 악한 마음이 들면 도둑이 되기 쉬운 법이에요.

세상의 모든 것들은 인과법을 떠나 존재할 수 없습니다. 지금 내 행위의 과보가 당장 나타나지 않는다고 해서 함부로 행동해서는 안 돼요. 또 남이 보는 앞에서만 부끄러운 마음을 갖는다면 그것은 반쪽 양심에 불과합니다. 남이 보든 안 보든 그릇된 일에 부끄러워할 줄 알아야 온전한 양심이 되겠지요. 양심에 어긋나지 않고 떳떳하게 살아가려면 어떻게 해야 할지, 진각성존 회당대종사의 말씀에 귀 기울여 봅니다.

마음을 닦고 불성을 계발하는 노력을 하면
부처님의 정법을 받아 깨달음이 일어나고
자심의 발동으로 참회 반성을 하게 되어
양심 있는 도덕생활이 이루어진다.
심인진리를 중심으로 하여 육바라밀을 실천하는 데
잘 사는 길이 있다.

《실행론》3-6-2(가)

제3장

인생과 성취

39 자기 앞가림을 잘 하려면 어떻게 해야 하나요?

세상이 참 편해지긴 했지만, 오히려 예전보다 살기 어렵다는 말을 자주 합니다. 그렇다 보니 '내 앞가림하는 게 중요하다'는 인식이 많이 퍼지고 있는 것 같아요. 사회적 약자나 빈곤계층에 대한 감정적 배려도 없고, 모두가 자기 앞가림에 열심인 나머지 서로 간에 유대감도 줄어든 것 같습니다. 흥부와 놀부 얘기 다들 아시지요? 제가 어렸을 때만 해도 흥부는 착하고 놀부는 못됐다고 배웠던 걸로 기억하는데, 지금 시대에는 반대로 해석하는 분들도 많은 것 같아요. 놀부는 성격은 못됐어도 능력이라도 있지만, 흥부는 게으른 주제에 자기 앞가림도 못 하면서 자식들만 줄줄이 낳아서 대책도 없이 산다는 거지요. 자본주의 논리가 무의식중에 우리 인식 깊숙이 박혀 있다는 사실의 반증이 아닌가 합니다.

이렇게 소위 '제 앞가림' 문제를 놓고, 때로는 모르는 남녀 사이에 언쟁이 벌어지기도 합니다. 어느 학회 세미나에서 남녀 두 학자가 의견 차이로 열띠게 토론하던 중에 남성 학자가 이렇게 질문을 했어요.

"여성학도 있고, 아동학도 있는데 남성학이 없는 이유가 대체 뭡니까?"

그랬더니 그 여성 학자가 비아냥거리는 어조로 이렇게 말했답니다.

"그건 아동학으로 충분히 커버가 되기 때문이지요."

짧은 말이라도 말 속에 뼈가 있는 법이에요. 남자들은 유치하고 철이 없으니 아동학만 있으면 되지, 굳이 남성학이 무슨 필요가 있겠느냐는 항변인 거지요. 사실 참회하는 마음으로 돌아보면 남자들의 사고방식이 때로는 철없는 애들처럼 유치한 때가 없지 않아요. 시대가 바뀌면 변화를 받아들이면 되는데, 그렇지 못하고 구태의연한 낡은 사고로 일관할 때가 특히 그렇습니다. 자가용 운전만 해도 그렇잖아요. 바야흐로 남녀가 평등하게 경쟁하는 시대에 살고 있습니다. 여성 운전자가 급속도로 늘었지요. 이렇게 시대가 변하면 그 변화를 받아들이면 되는데, 아직도 우리 사회에는 가부장적인 남성 편력에 젖어있는 사람들이 제법 있거든요.

운전을 갓 배운 한 중년여성이 차를 몰고 가고 있었어요. 초보라서 운전이 느리고 서툴다 보니 그 뒤를 따르던 어떤 성질 급한 아저씨가 짜증이 난 거예요. 신호 대기 상황에서 차 옆으로 세우더니 차창을 열고 이렇게 외치는 겁니다.

"야, 이 여편네야. 집에 가서 밥이나 해~!"

그러자 이 중년여성, 화가 단단히 나서 아저씨에게 한마디 했답니다.

"쌀 사러 간다, 이 자식아~!!"

이제는 남자들도 말을 조심해서 가려 해야 하는 시대예요. 여자라고 무시하고 어수룩하게 말 한 번 잘못했다가는 두 배로 당하게 되어 있거든요. '사람'으로 보면 아무 문제가 없는데 '남자'네 '여자'네 하는 '분별'의 관점에서 보니까 꼭 이렇게 탈이 나는 겁니다. 분별을 떠난 마음으로 세상을 바라보는 것, 이것이야말로 자기 앞가림의 기본이 아닐까요?

진각성존 회당대종사의 말씀에 귀 기울여 봅니다.

무위법無爲法은 분별 조작 하나 없이
일[事]이 자연 이뤄짐을 말함이니
깨쳐 이치 알게 된다.

《실행론》 2-9-2

40

단조로운 일상을 어떻게 극복해야 할까요?

'권태'나 '우울'과 같은 극한의 공허감을 맛보게 되면 삶의 어떤 것에도 의미를 느끼지 못하고 자기 생각에만 갇혀 지내게 됩니다. 평소에 잘 지내던 사람도 한순간에 인생을 허무하게 느껴 지금껏 해 오던 노력마저 포기하는 경우가 있지요. 금실 좋던 부부간에도 세월이 흐르면 권태로움이 찾아들잖아요.

회사에서 슬픈 표정으로 넋이 나가 있는 부하 직원에게

"자네, 무슨 일 있나?"

하고 직장 상사가 물었대요.
그러자 그가 한숨을 내쉬며 힘없이 하는 말이,

"일전에 집사람과 좀 다퉈서 한 달 동안 서로 말도 하지 않기로 했어요. 그런데 그 평화롭던 한 달이 오늘로 끝나거든요."

하더라지 뭡니까. 검은 머리 파뿌리 되도록 오래오래 같이 살자던 초심의 그 맹세는 대체 어디로 가버린 걸까요?

학생들도 마찬가지예요. 요즘 청소년들을 보면 인생을 다 산 것처럼 지친 표정일 때가 많습니다. 3분에 한 번씩 휴대전화를 만지고, 1초도 가만히 참지 못하는 '초미세 지루함' 속에 사는 듯해요. 각종 게임과 동영상에 길들여진 아이들은 교단에서 강의하는 선생님을 마치 액정 속 인물로 치부하여 영혼 없는 얼굴로 맞이합니다. 그래서 이따금씩 학생들이 앉은 쪽으로 불시에 튀어나가

줘야 한다나요? 그래야 가상현실이 아닌 실제상황임을 알아차린다는 거지요. 심지어 필기를 귀찮게 여기는 몇몇 학생들은 칠판의 판서를 아예 휴대폰으로 촬영하기도 한다니, 시대가 좋아져도 너무 좋아진 것 아닐까요?

모든 게 너무 편해진 탓인지 몰라도 우리의 하루는 늘 쳇바퀴 돌 듯 별 변화가 없다고 느끼기 쉽습니다. 일상이 단조로우니 살아있다는 생동감을 느끼지 못하고 때로는 소통의 부재와 우울증에 시달리기도 하는 거지요. 실로 인생은 멀리서 보면 별일이 다 일어나는 파란만장함 속에 있는 것 같지만, 가까이에서 보면 지루함의 연속이에요. 우리에게 주어진 대부분의 시간은 반복적인 일을 하느라 채워지거든요. 비록 처음엔 내가 선택한 일이었지만 시간이 가면 그저 해내야 한다는 지루한 의무감만이 나를 지배하게 됩니다. 이렇듯 익숙함에 안주하면 질퍽한 매너리즘의 숲에서 빠져나오기 힘든 법이지요.

나를 새롭게 하려면 오늘의 나를 낯설게 만들어야 해요. 이런 저런 잡담을 자주 나누고, 일 외적인 부분에서 스스로 자신을 피곤하도록 자극해야 합니다. 한 달에 한 번이라도 등산을 간다든가, 가까운 곳이라도 꾸준히 산책을 즐긴다든가, 각자가 좋아하는 취미 생활을 만들어서 꾸준히 행동으로 옮겨야 해요. 자꾸 새로운 일을 벌이고 자기만을 위한 즐거운 시간을 누리세요. 차 한 잔을 마시더라도 흡족한 마음으로 행복한 티타임이 되어야지, 아무 맛도 모르고 시간에 쫓겨 홀짝거리는 티타임이 되어서는 안 돼요. 항상 새롭게 피어나야 인생이 아름답습니다.

단조로운 일상 속에서 어떻게 마음을 다잡아야 할지, 진각성존 회당대종사의 말씀에 귀 기울여 봅니다.

> 나날이 새로운 데 새것이 들어온다.
> 마음이 항상 새로우면 어떠한 것이라도
> 항상 새로운 것을 맛볼 수 있다.
> 하염없이 밖의 변화를 구하면서
> 마음을 채우지 못하는 생활보다
> 나날이 새로운 마음을 가져
> 평범함 속에 한없는 생활미를 발견함이
> 참으로 행복한 생활이다.
> 환경은 나의 그림자이다.

《실행론》2-4-5(다)

41

매 순간 올바른 선택을 하려면 어떻게 해야 할까요?

사람이 성공하는 데는 10년 이상의 긴 시간이 걸리지만, 실패해서 나락으로 떨어지는 데는 금방입니다. 하루도 안 걸려요. 흔히 '눈 깜짝할 새'라고 하지요? 불교에서 말하는 '찰나刹那'라고 하는 순간이 바로 그겁니다. 한 치 앞을 볼 수 있는 능력만 주어진다면 우리는 각자가 처한 환경에서 최선의 선택을 하며 살아가겠지만 그렇지 못하기 때문에 때론 땅을 치며 후회하기도 하잖아요.

진각성존 회당대종사의 말씀에 의하면, 불교는 참회와 실천을 근간으로 사악취선捨惡就善의 올바른 선택을 하는데 그 목적이 있습니다. 그리고 올바른 선택을 하기 위해서는 생활 가운데 '당체법문當體法門'을 깨쳐야 한다고 보는 것이 진각종 교리의 가장 큰 특징이기도 합니다. '당체법문'이란 쉽게 말해 눈앞에 나타난 모든 현상은 우주적 생명의 일정한 질서와 법칙에 따라 인과로서 나투어진 '법신불의 설법'이라는 거예요. 부처님은 이미 2천 5백여 년 전에 육신의 몸을 버리셨지만 진리로서의 법신만은 그 이전부터 있어왔고 지금 이 순간에도 우주에 두루 하기 때문에 우리들이 어떠한 삶의 태도로 살아가야 할지 그 지혜로운 처방까지도 내려주십니다.

어떤 멍청한 철학자가 인생이란 무엇일까를 열심히 생각하며 길을 걷던 중에 생각이 하나 떠올랐어요.

"그래, 인생이란 삶이다. 그렇다면 삶이란 무엇일까?"

철학자는 다시 고민을 하다가 시장에 들어가 보기로 했어요. 그런데 뭘 발견했는지 흐뭇한 미소를 머금고 시장을 나왔습니다. 철학자가 본 간판에는 이렇게 써져 있었답니다.

"삶은 돼지고기"

이 문구를 접한 그는, 자신이 지혜가 없고 멍청한 것은 탐심 인연을 참회해야 한다는 당체법문으로 받아들였던 거지요. 깨달음을 얻은 철학자는 나눔과 봉사로 여생을 보냈다고 합니다. '꿈 보다 해몽'이라고 했던가요? 어쨌거나 그는 평범한 간판 하나를 참회의 거울로 삼았기에 만년을 환희롭게 회향할 수 있었던 거예요.

평범한 일상 속에서도 우리는 수많은 판단과 선택의 순간을 맞이합니다. 그리고 바리스타의 사소한 선택으로 인해 커피 맛이 달라지듯이 우리의 인생 역시 어떤 선택을 하고 어떻게 행동하느냐에 따라 그 결과가 달라짐을 보기도 하거든요. 그런데 아쉽게도 중생은 탐욕에 이끌리고 전도顚倒되어 중요한 선택의 순간에도 마음을 쉽게 내려놓지 못합니다. 그것이 진리에 어긋나지 않는 올바른 선택인지를 묻기 이전에 현실적으로 나에게 얼마나 유리한 것인지를 따지기 때문에 결국에는 어리석은 결정으로 치닫기 쉽다는 거지요.

《화엄경》의 '일념즉시무량겁一念卽是無量劫'이란 말에는 한 순간의 선택이 무량겁 동안의 복과 재앙을 좌우한다는 뜻이 담겨 있습니다. 실로 중요한 기로에서는 순간의 선택이 평생을 좌우하는 법이지요. '부처님이라면 이럴 때 어떻게 하셨을까'를 먼저 생각해 봐야 합니다. 현자賢者라면 언제 어디에서나 부처님의 모습을 볼 수 있고 또 부처님의 음성을 들을 수 있지만, 어리석은 중생은 눈이 어둡고 귀가 밝지 못한 까닭에 곁에 항상 계시는 부처님의 모습과 음성을 보지도 듣지도 못하거든요. 마치 손에 횃불을 들고도 불씨를 빌려달라며 온 동네를 누비는 어리석은 아낙과도 같은 겁니다.

42

인생의 여러 시련들을 어떻게 받아들이고 극복해야 할까요?

한 스님이 하시는 말씀이, 법당 공사를 하던 중에 지붕의 기와를 올려야 하는 시점이 되니까 이상하게도 어딜 가나 지붕 위에 있는 기와들만 자꾸 눈에 들어오더래요. 또 마루를 깔 때쯤 되니까 이번엔 가는 곳마다 마루만 눈에 들어오더라는 거예요. 어딜 가나 그곳 마루의 결이나 색깔, 단단함 같은 것에만 눈길이 가더라는 거지요. 이처럼 우리는 세상을 볼 때 무의식적으로 각자의 마음이 보고 싶어 하는 부분만을 보고 사는 건지도 모릅니다.

하지만 어디를 어떻게 보느냐에 따라 인생이 크게 달라질 수 있어요. 시골의 한 농가에서 있었던 일입니다. 연이어 태풍 피해를 입은 탓에 애써 재배한 사과의 90% 정도를 팔 수 없게 되자, 농민들의 시름은 깊어졌어요. 다들 팔 수 없는 사과를 가려내며 실의에 빠져 있을 때, 한 농부만은 조금 다르게 생각했습니다. 아직 떨어지지 않은 나머지 10%의 사과에 '떨어지지 않는 사과'라는 이름을 붙여 수험생들에게 10배 높은 가격으로 비싸게 판다는 계획이었지요. 사과는 기대 이상으로 불티나게 팔려나갔고 폭발적인 인기 탓에 오히려 높은 수익을 올리게 되었답니다.

피해를 입은 많은 농부들은 떨어진 90%의 사과를 보고 낙담했지만, 지혜로운 농부는 아직 매달려 있는 10%의 사과에 더 큰 희망을 보탠 거예요. 이 사소한 차이가 너무나 다른 결과를 가져온 것이었지요. 위기의 순간은 누구에게나 옵니다. 하지만 그 위기를 전화위복의 기회로 삼는 자만이 성공에 한 발짝 더 다가설 수 있어요. 똑같은 소금도 배추에 뿌리면 시들해지지만 미역에 뿌리면 팔팔하게 살아나지 않던가요? 삶의 마장魔障들을 법문法門으로 받아들일 수 있을 때 비로소 진언행자들은 진리에 한 걸음 더 가까워지게 되잖아요.

북해에서 잡은 청어가 런던에 도착해서도 싱싱함을 유지할 수 있는 비결이 뭔지 아십니까? 바로 청어를 잡아넣은 통 안에 메기를 한 마리씩 집어넣는 거랍니다. 물론 메기가 청어를 잡아먹겠지만 그래 봐야 두세 마리밖에 못 먹는다고 해요. 그런데 그 통에 있는 수백 마리의 청어들은 먹히지 않으려고 온종일 열심히 헤엄쳐 도망 다닌다는 거예요. 그 바람에 먼 길을 가서 보아도 청어들은 여전히 살아서 싱싱하다는 겁니다.

어쩌면 우리 인생도 마찬가지가 아닐까요? 인생이라는 바다 위에는 잔잔한 파도가 있는가 하면 때론 거센 광풍에 집채만 한 파도도 있고, 또 뜻하지 않던 암초도 있습니다. 그렇지만 그러한 역경과 고난을 받아들이는 태도는 저마다 달라요. 파도가 무서워 미리 겁에 질려 죽는 이가 있는가 하면, 오히려 파도타기를 즐기며 웃음을 짓는 이도 있잖아요. 고난을 두려워하기보다는 오히려 그 고난을 통해 인생의 교훈을 배울 수 있다면 더 없이 환희한 법을 성취하게 될 겁니다.

인생의 시련을 어떻게 받아들여야 할지 진각성존 회당대종사의 말씀에 귀 기울여 봅니다.

바닷물이 파도 되고 중생이 곧 불佛이라.
탁한 것이 맑아지고 얼음 녹아 물이 된다.
빈貧한 데서 부富해지고 천賤한 데서 귀貴해져,
엎어지면 일어서고 낮아져서 오른다.
어두우면 밝아 오고 겨울에서 봄 오며,
풍파 후에 고요하고 소나기 뒤 햇볕 난다.
병에서 곧 건강하고 실패 끝에 성공 와,
나가면 곧 들어오고 심은 후에 거둔다.
슬픔 후에 기쁨 있고 죽은 후에 다시 난다.
마장들 때 공덕 오고 고苦가 변해 낙樂되네.
낙심 말고 종지 세워 복 주시는 시험에
잠시 곤란 이겨내면 무량한 복 오도다.

《실행론》4-5-8

43

행복은 어디서 찾을 수 있나요?

어떤 노부부가 70세가 넘어 이혼을 하게 되었는데, 그 이유가 치킨 때문이었다나요? 왜 그런가 했더니, 사각으로 썰어진 무 있잖아요? 그걸 뜯어서 접시에 담아온다고 할머니가 잠깐 싱크대로 간 사이, 할아버지가 혼자서 다리 두 개를 다 드셨다는 거예요. 할머니는 그 사실을 알고는 "당신 같은 사람하고 오십 평생을 같이 살아온 내가 바보였다."면서 이혼을 선언했다는 겁니다. 할아버지는 이혼까지 들먹이는 할머니가 이해가 안 된다며 하나 더 시키면 되지 않느냐고 항변했지만, 사실 할머니가 분노한 이유는 닭 다리 두 개 때문만은 아니었던 거지요. 할머니를 배려 없이 대하는 할아버지의 태도가 평생토록 바뀌지 않았다는 데 근본적인 이유가 있었던 겁니다.

이처럼 가까이에 있는 존재의 소중함을 공기처럼 망각하고 지내는 점에서는 할아버지나 우리나 크게 다를 바 없어 보여요. 정지용 시인의 '향수鄕愁'라는 제목의 시에는 '아무렇지도 않고 예쁠 것도 없는 사철 발 벗은 아내'라는 표현이 나옵니다. 산중에 오래 살면 산을 닮고 부처님을 닮는다던데, 한 집안에 오래 살면 상대의 아름다움이나 매력에 무관심한 망부석을 닮게 되나 보네요.

사람들은 아주 오래전부터 달을 동경해 왔습니다. 정화수를 떠 놓고 소원을 비는가 하면, 토끼가 달 속에서 떡방아를 찧고 있을 거란 엉뚱한 상상마저 하곤 했지요. 그러나 인류 최초로 달을 정복했던 닐 암스트롱의 목격담은 우리가 그간 달에 대해 가졌던 이미지와는 많이 다른 것이었습니다. 막상 달에 와 보니 희뿌연 먼지뿐이고, 도저히 생명체가 살 수 있는 환경이 아니라는 거였지요.

정작 그가 인상 깊게 본 것은 바로 지구의 모습이었습니다. 그는 최초로 달을 정복한 인류이기도 했지만, 지구 밖에서 지구를 바라본 최초의 인류이기도 했던 거예요. 그가 달을 밟고 바라본 지구는 너무도 아름다웠다고 합니다. 세상의 많은 부호들은 그저 우주를 보고, 달을 구경하기 위해 우주여행을 꿈꾸는 건 아닐 겁니다. 어쩌면 우리가 사는 지구를 멀찍이 떨어져 바라보고 싶은 게 아닐까요? 우리는 일상에 갇혀 반복적인 삶을 살 때 많이 지치고 힘들어합니다. 그래서 불시에 떠나는 갑작스런 여행은 어쩌면 꼭 필요한 건지도 몰라요.

산속에서 보면 나무와 들풀은 보이지만, 산 자체는 보이지 않습니다. 산을 떨어져 나와 또 다른 산 정상에 올라서야만 비로소 그 산이 보이는 법이거든요. 눈(眼)이 눈을 보지 못하는 이치와 같은 겁니다. 일상에 너무 몰두하는 자신, 그리고 만성적으로 피로하고 무기력을 느끼는 자신과 조우할 때는 멀찍이 자기 삶에서 떨어져 나와 그 삶을 바라볼 필요가 있습니다.

염송하는 우리의 모습도 마찬가지예요. 현실에 끄달리는 마음에서 조금이라도 벗어나 법신과 내가 만나는 생명적 진리의 그 자리에서 제 3자를 바라보듯 나를 보는 과정이 바로 수행이 아닐까요? 이렇게 수행을 깊이 하다 보면 아주 가까이에 있는데도 내가 몰랐던 행복이 비로소 보이게 될 거라고 믿습니다.

44

인생의 여러 문제들에 초연하려면 어떻게 해야 할까요?

간혹 대수롭지 않은 일도 참아 넘기지 못해 화를 자초하는 경우가 있습니다. 한 남편이 미장원에 다녀온 아내를 보고 버럭 화를 낸 거예요.

"나 하고 한 마디 의논도 없이 단발머리를 하면 어떡해
난 긴 생머리가 더 좋단 말이야!"

그러자 아내가 어이없다는 표정으로 대꾸하기를,

"그러는 당신은 왜 한마디 상의도 없이 대머리가 된 건데?
난 긴 머리가 더 좋다고!"

이런 경우를 흔히 '긁어 부스럼 만든다'고 하지요? 문제는 자기한테 있는데, 상대 문제를 먼저 찾으려다가 결국 진심 인연으로 틀어져 마음고생하신 경험, 누구라도 있을 겁니다. 본전도 못 찾을 게 뻔한데, 괜한 말을 했다가 봉변을 당한 셈이지요.

미국의 카네기를 잘 아실 거예요. 이 카네기가 하루는 어떤 무례한 여성에게 거친 욕설을 듣고 있었어요. 그런데 희한한 건 그러면서도 계속 따스하고 푸근한 미소를 짓고 있더라는 겁니다. 그때 옆에 있던 제자가 이렇게 말했어요.

"선생님, 대단하십니다. 어떻게 그런 험악한 말을 들으면서 웃으실 수가 있습니까?"

그러자 카네기 왈, "그 여자가 내 아내가 아니란 사실이 너무

고맙고 감사했다네."

주변에 나를 괴롭히는 사람으로 인해 마음이 힘들 때 카네기처럼 생각해보면 어떨까요? 내 가족이 아니라서 정말 다행이라는 마음으로 오히려 그 상황을 감사해하며 말이에요.

그러나 우리 중생은, 정작 소중한 이들이 가족으로 인연된 상황에서도 여전히 마음속에 원망을 키우며 살고 있습니다. 어떤 부부의 대화 내용이 이렇더군요.

아내 : 여봉~ 당신은 왜 내 사진을 항상 지갑 속에 넣고 다녀?
남편 : 응, 아무리 골치 아픈 일이라도 당신 얼굴을 보면
씻은 듯이 잊게 되거든.
아내 : 그래? 당신한테 내가 그렇게 사랑스럽고 중요한
존재인 거야?!
남편 : 그럼! 당신 사진을 볼 때마다 나 자신에게 이렇게
얘기하거든. '이 보다 더 큰 문제가 어디 있을까?!'

인생 최대의 심각한 문제를 아내로 삼다니, 불행도 이런 불행이 없습니다. 그런데 눈도 마주치기 싫을 정도로 원증회고怨憎會苦의 인연으로 심하게 마음고생 하시는 분들, 의외로 우리 주변에 참 많더라고요. 성자 소크라테스는 달랐어요. 그의 아내는 악처로 유명했지요. 하루는 일 안 하는 남편에게 고래고래 소리 지르며

악을 쓰다가 소크라테스에게 바가지로 물을 퍼다 끼얹었다고 해요. 곁에 있던 친구가 그걸 보고는 "이거 너무 하는 거 아닌가?" 하고 말하자, 소크라테스는 태연하게도 "천둥이 친 후에는 비가 오는 법이네."라고 말하면서 젖은 옷을 훌훌 털더랍니다.

간혹 인생의 겨울이 예고 없이 닥쳐올 때가 있습니다. 그럴 때 소크라테스처럼 초연할 수 있다면 얼마나 좋을까요? 대개 무언가에 대해 초연하려면, 그것을 수차례 경험해서 무뎌지거나 지겨워져야 합니다. 그런 의미에서 보자면, 무뎌지거나 지겨워질 정도로 초연해질 만큼의 '싫은 소리(?)'를 많이, 그리고 자주 듣도록 서원해야 할지도 모를 일입니다.

【문】 내 허물을 어떻게 하여야 쉽게 알 수 있습니까?

【답】 남이 내 허물을 말하거든 즐겁게 듣고,
스승과 친구와 부모와 형제에게 물으면
속히 알게 됩니다.

《실행론》 3-2-6

45

부정적인 상황을 극복하려면?

일본의 손꼽히는 부자 중에 사이토 히토리라는 사람이 있습니다. 이 사람은 어떤 일을 하더라도 항상 이렇게 중얼거리고 일을 시작했다고 합니다.

"이거야 간단하지!"

이 말을 먼저 하게 되면 '왜냐하면……'이라는 생각이 저절로 떠오르게 되어 다양한 방법을 찾게 된다고 합니다. 그리고 신기하게도 일이 간단하게 풀리더라는 거지요.

개미가 자기 집이 무너진 것을 발견했을 때 가장 먼저 하는 일은 화를 내거나 실망하는 것이 아니라, 집 지을 재료들을 다시 모으는 일이라고 합니다. 아무리 어려운 상황이라도 '이거야 간단하지'라는 생각으로 순간을 잘 극복해간다면 세상은 늘 내 편이 될 겁니다.

부정적인 생각의 감옥에 갇혔을 때, 우리 진언행자들은 지권을 쥐고 가만히 스스로를 돌아봐야 합니다. 따지고 보면 지금 나를 실망시키는 갖가지 조건들은 생각하기에 따라서 그렇게 나쁘지 않은 경우가 많거든요. 나보다 못한 조건에서 어렵게 지내는 사람들이 또 얼마나 많습니까? 사람의 욕심은 끝이 없는 법이지요. 감사하는 마음으로 은혜롭게 사는 연습을 자꾸 해야 합니다.

개와 고양이가 어떻게 다른지 아십니까? 개는 이렇게 생각한대요.

'나랑 같이 사는 이 주인들은 나를 먹여주고, 재워주고, 예뻐해 주고, 만져주고, 돌봐주는 걸 보니……. 정말 주인은 고마운 사람들이야!'

그런데 고양이는 조금 다릅니다.

'나랑 같이 사는 이 주인들은 나를 먹여주고, 재워주고, 예뻐해 주고, 만져주고, 돌봐주는 걸 보니……. 정말 나는 대단한 고양이야!'

똑같은 생각을 해도 감사함을 알고 또 느낄 수 있어야 사랑을 받을 수 있습니다. 그래서 감사를 아는 강아지는 주인 앞에서 귀여움을 떨며 사랑을 받지만, 감사를 모르는 고양이는 고마움을 모르기 때문에 사랑보다 미움을 더 많이 받는 거래요. 우리 중생은 어떻습니까? 감사하고 보답할 때도 물론 있지만, 욕심이 그득해서 불평불만일 때도 많잖아요. 염라대왕이 지옥에 온 중생을 앞에 무릎 꿇려 놓고 물었대요.

"극락이 좋으냐, 지옥이 좋으냐?"

그랬더니 중생 왈,

"몇 평인데요?"

하더랍니다. 어이가 없지요.

진각성존 회당대종사께서는

항상 악한 데로 나가는 것을 걱정하고,
겁이 나서 내보내는 것보다는
환희한 마음으로 내보내는 것이 좋다.

《실행론》4-6-2

고 말씀하셨습니다. 희사 또한 긍정적인 마음가짐으로 해야 함을 역설하신 거지요. 진언행자가 힘들고 실망스런 상황에서 감사와 희망을 찾을 수 있는 가장 좋은 방법은 바로 희사행과 삼밀행입니다. 희사를 자꾸 해 보면 내 마음을 지배하던 탐심을 알아차릴 수 있고, 염송을 자꾸 해 보면 마음에 밝은 기운이 꽉 들어차서 실망스러운 기분을 만드는 갖가지 부정적인 생각을 끊어버릴 수 있어요. 꾸준한 정진과 신행으로 감사와 희망이 넘치는 삶을 삽시다.

46

건망증 때문에 고민이예요

한 중년 남성이 출근하자마자 떠오른 생각을 잊을까 봐 손가락에 실을 매었습니다. 집에 돌아가면 자연스레 떠오를 것을 기대하면서 말이죠. 결국 퇴근 후 집에서 저녁식사를 마치고 신문을 뒤적이다가 손가락에 감긴 실을 발견하게 된 거예요. 그런데 '뭘 하려고 했나?' 아무리 머리를 쥐어짜도 도대체 생각이 나지 않는 것이었습니다. 그렇게 한참을 고민하다 보니 어느새 새벽 2시가 다 되었는데, 그때 마침내 섬광과 같이 떠올랐습니다. 그것은 '오늘 집에 가면 일찍 자야지!' 하는 생각이었던 겁니다.

심지어 하루는 부인과 함께 부부 동반 모임에 참석했는데, 쉬는 시간에 복도에서 마주친 부인에게 "여긴 웬일로 왔느냐?"고 묻더라지 뭡니까? 건망증이 심해도 너무 심한 거지요.

알고 보니 그 부인도 만만치 않더래요. 하루는 초등학교 5학년 아들 영철이가 전화를 걸어 지금 어디냐고 묻자, 마트에서 장 보고 집에 가는 길이라고 대답했대요. 그런데 그 얘기를 들은 아들이 하는 말이, "엄마가 나 마트에 데려왔잖아."

그제서야 기억이 돌아온 부인 왈, "헐, 거기 꼼짝 말고 있어!"

그런가 하면 할아버지, 할머니 역시 기억이 늘 가물가물합니다. 안방에서 텔레비전을 보고 있던 할아버지가 냉장고에서 우유 좀 가져다 달라고 할머니한테 부탁했어요. 혹시 잊을 수 있으니 적어 가지고 가라는 당부와 함께 말이죠.

그러자 할머니 왈,

“내가 치매라도 걸린 줄 알아요? 걱정 말아요.”

잠시 후 할머니가 삶은 계란을 그릇에 담아 가지고 들어오자 할아버지는 이렇게 말했습니다.

“왜 소금은 안 갖고 온 거야?! 그러게 적어 가랬잖아!”

깜박깜박하는 증세가 얼마나 심했으면, 하루는 영철이의 일기장에 이렇게 적혀있더래요. “할아버지께서 어제 《치매에 걸리지 않는 법》이라는 책을 사 오셨다. 오늘 또 사 오셨다…….”

이 영철이 할아버지가 하루는 택시를 탔어요. 뒷좌석에 앉아 얼마쯤 가다가 택시기사에게 물었지요.

“기사양반, 내가 어디 가자고 했지요?”

택시기사가 뒤를 돌아보며 한마디 합니다.

“깜짝이야. 손님! 언제 타셨어요?”

건망증, 정말 심각한 일이지요? 정신없는 일상을 살다 보면 본인도 모르게 건망증이 심해져서 휴대전화를 냉장고 안에 넣어 두는 경우가 발생합니다. 가끔은 내가 ‘치매’가 일찍 온 건 아닌가 하는 걱정에 사로잡히기도 한다더군요. 하지만 사람마다 단점이 있고, 약점도 있습니다. 세상 어디에도 100% 완벽한 사람은 있을 수 없어요. 건망증이 심하다고 해서 자꾸 깜박깜박하는 자신을 탓하고 비관하시는 분들께, 어느 책에서 접했던 이 말씀을 소개해드리고 싶군요.

"그 사람의 약점에 그 사람의 영혼이 있다."

47

지금 이 순간, 행복하려면 어떤 노력을 해야 하나요?

평생 행복할 것 같던 사랑도 한순간 마음을 잘못 쓰면 차갑게 식어버리는 법입니다. 탱탱하던 젊음도 시간이 지나면 생기를 잃게 되지요. 세상에 영원한 게 있나요? 있다면 그게 뭘까요? 어떤 분이 영원한 게 뭘까를 찾아보다가 결국 본인의 '통장 잔고'가 영원인 걸 깨닫게 됐다더군요. 매섭도록 시리고 추운 이 연말에 왠지 씁쓸한 얘기가 아닐 수 없습니다.

어느 철학자가 나룻배를 탔습니다. 그가 뱃사공에게 철학을 배웠냐고 물었어요. 그러자 뱃사공이 고개를 저었습니다. 그랬더니 그 철학자가 하는 말이,

"한심한 사람이군. 자네는 인생의 3분의 1을 헛살았구먼. 그렇다면 문학은 공부를 했나?"

역시 뱃사공이 배우지 않았다고 하자, 철학자는 다시 뱃사공에게 인생의 3분의 2를 헛살았다며 핀잔을 주었습니다.

그런데 강의 절반쯤을 건너갈 무렵, 갑자기 배에 물이 차면서 가라앉기 시작했어요. 이번에는 뱃사공이 그 철학자에게 수영을 배웠냐고 물었어요. 철학자는 두려움에 떨며 잔뜩 긴장한 표정으로 수영을 못 배웠다고 말했습니다. 뱃사공은 다음과 같이 말했어요.

"선생님은 인생 전체를 헛살았군요."

살면서 정작 중요한 게 무엇인지 우리는 깨닫지 못할 때가 종종 있습니다. 가정을 소홀히 하면서까지 성공과 명예를 찾아 밖으로만 겉도는 가장들도 우리 주변에는 많잖아요. 사는 게 너무 바쁘다 보니 부모님께 전화도 자주 못 드리고, 돈 벌기에 급급해서 자녀와 한 번 놀아주지도 못하고 '조금만 더 벌면…….', '조금만 더 성공하면……' 하고 생각한 채 가족의 행복을 자꾸 유보시킨다면 이렇게 사는 삶은 분명 목표가 전도된 삶인 겁니다.

모든 이들이 죽기 전에 공통적으로 하는 세 가지 후회가 있답니다. 배우지 못한 것에 대한 후회도 아니고, 이름을 날리지 못한 것에 대한 후회도 아니며, 성공하지 못한 것에 대한 후회도 아니라고 해요. 그것은 바로 조금 더 참지 못하고, 조금 더 베풀지 못하고, 조금 더 행복하지 못했던 스스로의 '마음 씀'에 대한 후회라고 합니다.

과연 여러분은 지금 더 참고, 더 베풀며, 더 행복하기 위한 노력을 하고 계십니까? 불행히도 현대인들은 지금 처해 있는 상태에 좀처럼 만족을 느끼지 못한다고 합니다. 어딘가 다른 곳에 행복의 파랑새가 있다고 생각하는 거지요. 이른바 '파랑새 신드롬'입니다. 어렵게 취업한 20대 직장인들의 상당수가 취업 후 자신의 주변이나 현실에 만족하지 못하다가 뚜렷한 현실적 대안 없이 직장을 그만두는 것이 대표적인 파랑새 증후군이라고 하더군요.

성장과 경쟁을 중시하는 이 시대를 살면서, '지금 이 순간'을 온전한 만족과 행복 속에서 살려면 어떻게 해야 좋을지, 진각성존 회당대종사의 말씀에 귀 기울여 봅니다.

과거시대는 물건이 풍족하지 않아
견물생심見物生心이 덜해서 조촐하게 살 수 있었다.
과학문명이 발달되고 견물생심이 심한 이때는
재물을 벌지 말라고 하는 것과
내가 재물을 모을 때 부정한 것을
즉시 없애라고 하기보다는
선善의 문門을 하나 여는 것이
곧 행복의 길로 나아가는 것이다.
그러므로 선으로 교화시키는 종교를 믿고
물질을 정화하며
국가 사회를 위해서 재물을 내보내는 것이
행복의 길을 보장한다.

《실행론》 5-8-18 (나)

48

인생이 늘 우울합니다.
어떻게 하면 벗어날 수 있을까요?

평소 나의 습관은, 사실은 잘못된 고정관념에서 비롯된 것일 수 있습니다. 이를테면 야채라든가 햇밤 같은 걸 먹다가 벌레 먹은 부분을 발견하면 사람들은 대개 인상을 찌푸립니다. 그런데 잘 생각해 보세요. 벌레 먹은 부분이 어쩌면 더 맛있을 수 있어요. 맛있으니까 벌레가 먼저 먹었겠지요. 또 '일찍 일어나는 새가 멀리 본다'는 말이 있지요? 그런데 누군가 그러더군요. "그럼, 일찍 일어나는 벌레는 일찍 잡아먹히는 거냐?"라구요. 또 '돌다리도 두드려보고 건너라'는데, 겉보기에 돌다리면 그냥 믿고 건너면 되는 거지, 요즘같이 바쁜 세상에 뻔한 돌멩이를 두드려 볼 시간이 대체 어딨느냐고 따지는 게 요즘 사람들이더란 말이지요.

최근 들어 살벌한 경쟁 속에서 인간관계에 치이며 살다 보니 저마다 일종의 피해의식이나 강박감을 쉽게 떨치지 못하는 것 같습니다. '하면 된다'라는 액자 속 구호는 '되면 한다'로 바뀐 지 오래예요. 젊은이들이 소개팅에서 만나면 대 놓고 상대 부모 직업, 사는 동네부터 묻는다는 슬픈 얘기가 들립니다. 이제 평강공주는 온달을 안 찾습니다. 왕자는 신데렐라를 거들떠보지도 않아요. 세태가 이렇다 보니, 자신도 모르게 '흙수저 인생이 금수저 인생으로 바뀌는 것도 아닌데 과연 노력할 필요가 있을까…'라며 자조 섞인 푸념의 업을 짓게 됩니다.

하지만 이렇게 남과 나를 비교하면서 스스로 흙수저라고 단정 짓는 일이야말로 《금강경》에서 말하는 '중생상衆生相'에 다름 아닙니다. '나 같은 게 어떻게……'라든가, '어차피 난 뭘 해도 안 돼'라는 식으로 생각하며 자기 비하의 삶을 사는 사람은 늘 과거에 머물러 있기만 할 뿐, 현재의 충실한 삶을 살지 못해요. 요즘 TV 프로그램에서 '부러우면 지는 거다'라는 말이 자주 나오던데, 일에 지쳐 반복되는 일상이 계속되면 정말이지 우리는 자신의 삶이 가장 불행한 것처럼 느끼게 되고, 결국에는 '남들처럼 자유롭게 진심으로 무언가를 즐기며 살고 싶다'는 생각과 함께 번뇌의 감옥 속에 갇히게 됩니다.

이처럼 우리는 나에 대한 집착으로 똘똘 뭉친 말나식末那識과 일촌 관계이다 보니, '나는 다르다' 또는 '나는 특별하다'는 생각을 무의식중에 일으키는 경우가 많아요. 그와 동시에 '나는 왜 사는가?'라는 괴로운 화두를 짊어진 채 생각처럼 안 풀리는 인생을 우울해하며 세월을 보냅니다. 나의 삶에 특별한 의미를 부여하고 그에 걸맞게 인생을 살아야 한다는 강박감에서 벗어나지를 못하는 거예요.

한 시인이 있었어요. 이 시인은 늘 '삶이란 무엇인가?'라는 질문을 화두로 삼아 심각한 고뇌 속에 하루하루를 보냈습니다. 그런데 어느 날 기차를 타게 되었어요. 기차가 어느 역인가를 지나갈 무렵, 시인은 갑자기 무릎을 쳤습니다. 열차에서 카트를 끌며

음료를 파는 판매원이 지나가면서 한 말이 강한 영감을 주었기 때문이지요. "삶은 계란이요~!"

삶이란 건 알고 보면 별 것 아니에요. 특별할 게 없고 그저 태어났으니 살아지는 게 인생일지도 모릅니다. 정말이지 계란과 크게 다를 바 없는 거지요. 깨져서 후라이가 되느냐, 닭이 되느냐 차이예요. 그런데 우리는 삶에 저마다 특별한 의미를 부여하고, 한 번 밖에 없는 인생이 대박나느니 어쩌느니 하면서 굉장한 기대감과 욕심으로 살아가고 있습니다.

이렇게 '왜 사느냐?'는 질문으로 내 삶에 시비를 거는 대신, '어떻게 하면 오늘도 행복하게 잘 지낼까?'를 생각하는 것이 삶의 에너지를 발전적으로 쓰는 길입니다. 복잡다단한 이 시대를 살면서 어떻게 하면 우울함에서 벗어나 절대 긍정의 삶을 누릴 수 있을지, 진각성존 회당대종사의 말씀에 귀 기울여 봅니다.

단순한 시대에는 선이 많고 악이 적으므로
적은 악을 다스려야 하지만,
복잡한 시대에는 탐진치가 크게 일어나서
악은 많고 선이 적으므로
육행을 실천하여 선을 세워야 한다.

《실행론》5-3-20 (바)

49 인생의 여러 선택과 믿음의 문제를 어떻게 바라봐야 할까요?

'남귤북지南橘北枳'라는 말이 있습니다. '회수강'이라는 강을 중심으로 똑같은 종자의 귤나무를 심었는데 남쪽에 심은 것에는 당도도 좋고 윤기가 흐르는 큰 귤이 열렸지만, 북쪽에 심은 것에는 탱자가 열리고 말았다는 겁니다. 절대적으로 환경의 지배를 받는다는 것이겠지요. 그처럼 우리 중생들도 누구를 가까이하고, 누구를 멘토로 삼느냐에 따라 정반대의 인생이 펼쳐질 수 있습니다. 또 때로는 어떤 서원을 세우고, 어떻게 정진해가느냐에 따라 정반대의 결과를 초래하기도 하지요.

수면 위에 입을 내밀고 빼끔거리는 물고기의 헐떡거림은 생명을 부지하기 위한 최소한의 생존전략입니다. 하지만 인간의 헐떡거림은 쌓아놓고 쟁여 놓기 위한 헐떡거림이며, 높은 지위를 차지하고자 하는 욕심의 행위가 아닐 수 없어요. '동물의 세계'라는 TV프로그램을 보신 적이 있지요? 맹수들이 초식동물을 사냥하다가 종종 놓치는 것을 봅니다. 왜일까요? 맹수는 단지 한 끼 식사를 위해 사냥을 합니다. 만에 하나 놓치더라도 다른 동물을 잡으면 그만이에요. 하지만 초식동물의 입장은 다릅니다. 그야말로 목숨을 건 절박한 질주인 거지요.

무슨 소원이든 간절하게 원하면 이루어진다고 합니다. 또 뭐든지 만 번만 소리 내어 외우면 그것이 곧 주문이 되어 그 일이 이뤄진다는 얘기도 있습니다. 바람의 가지 수는 많지만 제대로 이루어지는 일이 적은 것은, 어쩌면 어느 것 하나 절실하게 원하는 것이 적기 때문이 아닐까요? 천길 벼랑 끝에서 한 발을 더 내딛는 구도자처럼 온 몸을 던져 원한다면 아마도 이루지 못할 일이 없을 거예요.

어느 산골에 사는 소녀의 이야기입니다. 마을에 삼 년이 넘게 비가 오지 않았어요. 왠지 다른 해보다 더 뜨거운 태양 빛 때문에 땅이 갈라지고, 우물이 마르고, 짐승들도 죽어갔습니다. 사람들은 의욕을 잃었고 제일 중요한 신앙도 잃었어요. 그러던 어느 날 스님이 비 오기를 서원하는 기도를 드리자고 사람들을 절에 모았습니다. 기우제를 지내는 것이었지요.

같이 모여서 기도를 마치자 정성이 통했는지 천둥 번개가 치고 비가 내리기 시작했습니다. 모두 좋아서 어쩔 줄을 몰라했어요. 하지만 기쁨도 잠시, 사람들은 갑자기 얼굴을 찌푸렸습니다. 왜냐면 아무도 우산을 가지고 오지 않았기 때문이지요. '스님이 하자니까 한번 해 보는 거지 뭐' 하는 심정으로 왔지, 비가 꼭 올 거라는 믿음으로 온 것이 아니었던 겁니다.

그런데 많은 군중 속에서 조용히 미소 짓는 이가 있었어요. 바로 여섯 살짜리 꼬마 소녀였습니다. 그녀는 웃으며 빨간 우산을 펴들고 "엄마, 빨리 오세요!"하고 외쳤어요. 틀림없이 비가 올 거라고 믿었기 때문에 우산을 준비했던 겁니다.

신심을 지켜나가는 데 있어 가장 방해가 되는 것은 바로 '의심'입니다. 인생은 너무 복잡하고 많은 위험을 감수해야 하지요. 어떤 길들은 계속 따라가고, 다른 길들은 포기해야 합니다. 그러니 인생의 여러 갈래 길을 마주했을 때, 그 선택은 매우 신중해야 해요. 그러나 일단 선택했으면 '내가 가는 길'에 대해 믿음을 가져야 합니다. 잘 선택했다는 믿음, 행여 어려움이 생기더라도 잘 될 것이라는 믿음, 그 믿음이 확고해야만 상황이 바뀌더라도 흔들림 없이, 의심 없이, 꿋꿋하게 잘 걸어갈 수 있습니다.

이 소중한 믿음을 어떻게 가져가야 할지, 진각성존 회당대종사의 말씀에 귀 기울여 봅니다.

불법에 들어왔으면 무종교인이었거나
미신을 믿었거나 타교를 믿었더라도
그것은 잊고 한마음 한뜻으로 신심을 굳게 해야 한다.
병이 나아야 내가 믿을 마음을 내고
서원이 성취되어야 계속 다닐 것이라는 중생심으로
부처님의 숭고한 법을 의심하여
대항하지 말아야 한다. 《실행론》 3-11-4

50

조급한 마음을 편안히 가지려면?

요즘 젊은 사람들은 금요일을 '불금'이라고 부르더군요. '불타는 금요일'을 줄인 말이라나요? 금요일 근무만 마치면 토요일, 일요일이니까 쉴 수 있거든요. 그러니 한 주 동안 꾹꾹 눌러놓고 참아온 스트레스를 떨쳐내기 위해 신나게 먹고 마시고 놀아서 금요일 오후를 그야말로 불타는 밤이 되도록 누린다는 뜻이랍니다.

그런데 한편으로 생각하면 목요일까지 꾹꾹 참았다가 금요일에만 펄펄 끓을 수 있는 인생이 되기보다는 금요일에 쏟을 에너지를 나머지 요일에도 균등하게 나눠 가질 수 있는 인생이 되는 게 좋지 않을까요? 우리에게는 왜 불금만 있는 걸까요? 조용히 보낼 수 있는 '조금', 편안하게 보낼 수 있는 '편금', 아니면 집콕하며 은둔할 수 있는 '집금' 같은 건 왜 없을까요?

중국의 남천南泉 화상은 "평상심平常心이 도道"라고 말했습니다. 언제든지 한결같은 마음만 가지면 그것이 바로 우리가 행복하게 살 수 있는 바른길, 즉 도라는 거겠지요. 평상심으로 살아도 즐거울 수 있는 생활습관을 젊을 때부터 들여놓는다면 노후의 삶이 편안해지지 않을까요? 뭐든 잘하기보다는 한결같이 편안한 마음으로 하는 것이 중요합니다. 정치인이나 지역사회 지도자 역시 너무 잘하려고 하면 오래 가기 어려워요.

수행자 역시 마찬가지예요. 수행 자체가 스트레스를 불러일으키면 곤란하겠지요. 도의 경지가 높아지면 좋겠지만, 그렇지 못한 수행자는 스트레스를 받기 마련입니다. 이게 다 '너무 잘하려는 마음'과 '빨리 이루려는 조급한 마음' 때문이에요. 중도와 중용의 미덕이 필요합니다. 이 말은 지나치지도 않고 그렇다고 해서 부족하지도 않으며 급하지도, 느리지도 않다는 뜻이에요. 수행도 이렇게 해야 합니다. 너무 잘하려고도 하지 말고 있는 그대로를 관조하듯 받아들이고 즐기는 편이 좋아요.

원숭이는 아무리 가르쳐도 밥을 잘 짓지 못한다고 합니다. 마음이 늘 조급하고 들떠 있어서 수시로 솥뚜껑을 열어대는 통에 밥이 익지 않기 때문이지요. 마찬가지로 매사에 조급한 마음으로 생활하는 사람은 인연이라는 열매를 따기가 쉽지 않아요. 인연을 잘 맺으려면 시간을 두고 가까이 다가가려는 노력이 필요하고, 서로 간의 마음 씀씀이도 넉넉해야 하거든요.

그런데 마음이 급한 현대인들은 어떻습니까? 짧은 안목으로 이른바 '돈 되는' 관계만 맺고 이어나가려 하지 않나요? 당장에 큰 이익이 없더라도 긴 안목에서 관계를 맺어 나가야 하는데, 작은 이익에 집착해 소탐대실할 때가 적지 않아요. '자리自利'에만 매달리는 조급한 마음을 내려놓아야 합니다. 그래야 지금의 내 삶을 온전하게 집중하면서 살 수 있어요. 바쁜 마음을 잠시 내려놓고, 느림의 철학을 실천해보면 어떨까요? 불쑥 떠나는 기차여행도 좋고, 붉은 석양을 마주한다든가, 독서나 시골 밤하늘을 올려다보는 여유도 괜찮습니다.

나이 사십 줄에 들어서면 누구나 원시가 옵니다. 이것은 자연이 우리 인간에게 가르쳐 주는 우주의 이치에요. 젊어서 혈기왕성할 때는 사소한 일에 흥분하고 근시안적으로 눈앞의 사물이나 욕망에 현혹되어 다투기를 좋아하잖아요? 그러나 나이가 들고 세상 경험이 많아지면 사물을 멀리서 관조해 볼 줄 알고 모든 일에 여유를 가지게 되지요. 이 시기가 되면 나뭇가지에 대한 집착을 버리고 숲 전체를 볼 수 있어야 합니다.

늘 바쁘고 팍팍한 세상살이 속에서 내면의 평화를 위해 무엇보다 중요한 실천은 무엇인지 진각성존 회당대종사의 말씀에 귀 기울여 봅니다.

마음의 안식처를 가지도록 해야 한다.
많은 음식과 재물과 영화가 있더라도
마음이 편안하지 않으면 잘 지낼 수 없다.

《실행론》 5-7-3

글을 갈무리하며

막내 녀석이 여섯 살쯤 되었을 때 "아빠, 승한이 많이 자면 어떻게 돼요?"하고 묻더군요. 그래서 "아빠처럼 되지."하고 말해줬습니다. 그랬더니 이 녀석이 "빨리 아빠처럼 되고 싶다"고 하는 거예요. 그런데 제 마음속에서는 '아빠는 너처럼 되고 싶다…….'는 작은 외침이 들리더군요. 그와 동시에 묘한 감정이 일더라고요.

대부분의 세상의 아빠들은 '내 아들이 나를 닮아 가면 어쩌나……' 하고 생각한답니다. 제 마음도 그렇더군요. 아이들이 커 가면서 '나보다는 나은 삶을 살았으면……' 하는 마음이 되는 거예요. 간절한 바람의 마음이기도 하고, 참회의 마음이기도 하겠지요. '아이들이 건강하게 아무 탈 없이 잘 성장해줬으면……' 하는 마음이 바람이라면, 스스로를 돌아볼 때 '아이들이 닮아서 좋을 만큼의 모범적인 가장 노릇을 하고 있나……' 하는 마음이 참회가 아닐까 싶어요.

'사내아이 둘 키우면 목메달'이라는 말이 있잖아요? 지금은 중1, 초3인 저희 애들도 예전엔 메달을 자주 걸어주는 편이었거든요. 환희한 메달일 때도 있지만, 말 그대로 목메달일 때도 많았어요. 하루는 토요일이라 집 안에만 있어 그런지 종일 싸우고 또 싸우고 짜증을 얼마나 내는지, 안 되겠다 싶어 동네 작은 마트에 데려가는데, 가는 길 어느 담벼락에 쥐 한마리가 죽어 있더라고요. 그걸 보고는 아이들이 "아, 징그러……." 그러는 거예요. 속으로 드는 생각이,

'아빠는 너희들이 더 징그럽다…….'

누구라도 이런 마음이 되는 경우가 있을 거예요. 자녀들이 크면서 속을 끓이고 말썽을 피우면 '징글징글하다…', 직장상사의 소위 갑질에 휘둘리면 '징하다…', 또 부부끼리 잘살다가도 어느 순간 마음이 틀어지면 '지긋지긋하다….' 기운이 빠지고 맥이 탁 풀려 상대에게 저주를 퍼붓는 3G(?)의 마음이 되는 경우가 분명 있잖아요. 이럴 때 우리는 어떻게 마음을 다잡아야 할까요?

불교 진각종眞覺宗을 창종하신 진각성존 회당대종사께서는

> "내 인생에 징그럽도록 관여하는 그 사람을 위해
> 꾸준히 뜻을 세우고 불공해 주라."

고 말씀하셨습니다. 진정한 참회는 결국 상대의 허물이 내 허물의 그림자임을 알아 미운 상대를 보듬는 작은 자비심에서 출발하는 것이겠지요.

이 책과 인연된 모든 분들이 인생의 힘든 순간순간에 역지사지易地思之의 마음으로 세상을 바라보는 자비심을 키워나갈 수 있기를 바랍니다.

성제 정사(박준석)

- 일본 다이쇼대학 불교학 박사
- 대한불교진각종 교화 스승
  (진각종에서는 교화자를 '스승'이라고 칭하는데
  남성 스승을 '정사(正師)', 여성 스승을 '전수(傳授)'라고 부른다.)
- 진각종 교법연구원
- 종립 위덕대학교 불교문화학과 교수

너도 그래?
나도 그래!

초판 1쇄　2020년 5월 15일
지은이　성제 정사(박준석)
펴낸이　대한불교진각종
펴낸곳　도서출판 해인행
디자인　올리브그린

가격　15,000원

ISBN 978-89-89228-71-4　04220
ISBN 978-89-89228-70-7 (세트)

이 도서의 국립중앙도서관 출판도서목록(CIP)은 서지정보유통지원시스템 홈페이지(http://seoji.nl.go.kr)와 국가자료공동목록시스템(http://www.nl.go.kr/kolisnet)에서 이용하실 수 있습니다.(CIP제어번호 : CIP2020017862)